**Donated
In Loving Memory of**

*Claudia Wolann
Gardner*

*by
Jill Green*

11/05

KLASYKA BAŚNI

Tekst: Joanna Zarańska

Ilustracje: Grażyna Motylewska

Projekt graficzny: Janusz Obłucki

Projekt okładki i stron tytułowych: Tomasz Wirchanowski

Opracowanie graficzne i skład: Studio Graficzne A. G. Głowienka

ISBN: 83-7156-595-X

KLASYKA  BAŚNI

WILGA

WSTĘP

Na całym świecie rodzice wprowadzają dzieci w świat bajek, w różnych językach czytają im historie o Kopciuszku, Królewnie Śnieżce, Brzydkim Kaczątku i Kocie w Butach... Trudno byłoby znaleźć dziecko, które nie zna losów Pinokia czy Jasia i Małgosi. Te same historie opowiadane są na wiele sposobów. I choć dzieci ciągle słuchają wciąż tych samych historii, nigdy nie są nimi znudzone i ciągle znajdują w nich coś nowego. I to jest powód, dla którego zdecydowaliśmy się sięgnąć raz jeszcze do najbardziej znanych bajek i opowiedzieć je jeszcze raz, ale po angielsku. Bo czyż można znaleźć równie wspaniałe historie, należące do tradycji i kultury zarówno polskiej, jak i angielskiej?

Książka, którą mają Państwo w ręku, przeznaczona jest dla wszystkich dzieci, które mają za sobą zaledwie początki nauki angielskiego. Szczególnie zadbaliśmy o to, by miała ona niezwykle prosty i czytelny układ. Czytanie dzieciom może stać się okazją do przypomnienia sobie własnej wiedzy językowej, a może też pozwoli poznać kilka nowych słów, opisujących świat baśni i magii? Bo czy wiedzieliśmy na przykład, że wróżka to po angielsku *fairy*, czarownica *witch*, a krasnoludek *dwarf*? A może warto sobie przypomnieć, że angielskie imię Kopciuszka to *Cinderella*, a Królewna Śnieżka *to Snow White*?

Wszystkie bajki napisane zostały najprostszym językiem tak, by zrozumieć je mogli nawet najmłodsi. Aby uczynić lekturę jeszcze łatwiejszą, oprócz tekstu angielskiego, czytelnik znajdzie również tekst polski w możliwie bliskim tłumaczeniu.

Na marginesie każdej lewej strony umieściliśmy wybrane z tekstu angielskiego wyrazy najczęściej te, które mają kluczowe znaczenie w historii.

Bogate ilustracje pomogą rozbudzić wyobraźnię dzieci, są także pretekstem do rozmowy o tym, co jest na obrazkach i poznawania nowych słówek – na każdej stronie dzieci znajdą słówka pomagające nazwać to, co widzą na ilustracji. Pytajmy więc: co i kogo przedstawiają rysunki *What's this? Who's that?*, pytajmy o kolory *What colour is the door?*, o liczby *How many flowers can you see?*, o to, co robią przedstawione na ilustracjach postacie: *What's the dwarf doing?* Pytajmy o to, w co ubrani są bohaterowie bajek *What's Snow White wearing?*, i gdzie znajdują się wybrane przedmioty i osoby *Where is Pinocchio now? Where is the mouse?* Nie zapominajmy o pytaniach, na które odpowiedź brzmi po prostu *Yes/No*.

Is the Ugly Duckling happy? Is the monster good? Takie pytania doskonale sprawdzają zrozumienie tekstu.

Po kilkukrotnym przeczytaniu bajki, gdy dziecko oswoi się z angielskim tekstem, możemy czytać ją znowu, tym razem opuszczając niektóre wyrazy w oczekiwaniu na ich dopowiedzenie, np.:

Now Snow White is in the dwarf's .... (house).
She goes to sleep on the dwarfs' .... (bed).

Gdy przeczytamy wszystkie bajki, możemy bawić się w zgadywankę. Czytajmy dziecku zdanie z dowolnie wybranej opowieści i prośmy, by powiedziało nam, z której bajki zostało zaczerpnięte.

Now the wolf is full and he falls asleep. (Little Red Riding Hood)
He doesn't look like his brothers and sisters but his mother loves him very much. (The Ugly Duckling)

Dzieci bardziej zaawansowane w nauce angielskiego mogą zapoznać się z tekstem bajek napisanym w czasie przeszłym. Umieszczamy go zawsze na ostatnich dwóch stronach kolejnej historyjki.

By sprawdzić znaczenie wybranych słów, możemy posłużyć się alfabetycznym indeksem umieszczonym po każdej bajce. Na końcu książki znajduje się również alfabetyczna lista wyrazów w dwóch językach wraz z tłumaczeniem i wymową, zawierająca słownictwo ze wszystkich bajek.

Mamy nadzieję, że nasza książka stanie się doskonałą okazją do wspólnego czytania i wspólnej nauki, a przede wszystkim do wspólnej zabawy.

Uproszczony system oznaczania fonetycznego dźwięków angielskich

Symbole samogłosek

Ten dźwięk –

i: tea [ti:] herbata – brzmi jak polskie i, tylko znacznie dłużej

i   tin [tin] puszka – jest bardziej podobny do polskiego y niż i

e   desk [desk] biurko – jest podobny do polskiego e

a   hat [hat] kapelusz – brzmi podobnie do dźwięku pośredniego między polskim a i e

a: car [ka:] samochód – brzmi jak polskie a, tylko znacznie dłużej; usta szerzej otwarte

o   pot [pot] garnek – brzmi podobnie do polskiego o

o: north [no:θ] północ – brzmi jak polskie o, tylko znacznie dłużej

u   good [gud] dobry – brzmi jak polskie u

u: you [ju:] ty, wy – brzmi podobnie do polskiego u, tylko znacznie dłużej

ʌ   run [rʌn] biec – jest podobny do krótko wymawianego polskiego a

ə: bird [bə:d] ptak – jest podobny do polskiego e, tylko znacznie dłuższy; koniec języka oparty o dolne dziąsła

ə   arrive [ə'raiv] przybywać – występuje tylko w nieakcentowanych sylabach, jest podobny do ə:, tylko krótszy

Symbole dwugłosek

Ten dźwięk –

ei   play [plei] bawić się – brzmi podobnie do polskiego ej

əu   go [gəu] iść – brzmi podobnie do polskiego oł

ai   fly [flai] latać – brzmi podobnie do polskiego aj

au   house [hauz] dom – brzmi podobnie do polskiego ał

oi   boy [boi] chłopiec – brzmi podobnie do polskiego oj

iə   ear [iə] ucho – wymawia się, mając usta początkowo otwarte szerzej, tak jak do i, następnie lekko je przymykając, tak jak do ə

eə   air [eə] powietrze – wymawia się, mając usta początkowo otwarte szerzej, tak jak do dźwięku pośredniego między polskim a i e, następnie lekko je przymykając, tak jak do ə

uə   pure [pjuə] czysty – wymawia się podobnie do polskiego u, z wargami dość wąsko zaokrąglonymi, następnie lekko je rozszerzając, tak jak przy ə

Symbole spółgłosek

Ten dźwięk –

θ   thin [θin] cienki – jest bezdźwięczny, wymawiany z końcem języka między zębami, w celu uzyskania dźwięku syczącego

ð   this [ðis] ten, ta, to – wymawiany jest podobnie do θ, tylko dźwięcznie

ʃ   shoe [ʃu:] but – jest pośredni między polskim sz a ś

ʒ   leisure ['leʒə] czas wolny – jest pośredni między polskim ż a ź

tʃ   church [tʃə:tʃ] kościół – jest pośredni między polskim cz a ć

dʒ   judge [dʒʌdʒ] sędzia – jest pośredni między polskim dż a dź

ŋ   sing [siŋ] śpiewać – jest podobny do polskiego nosowego, tylnojęzykowego n, tak jak w słowie bank, ale wymawianego dłużej

w   west [west] zachód – jest podobny do krótko wymawianej spółgłoski ł

v   valley ['vali] dolina – jest podobny do polskiego w

Pozostałe dźwięki brzmią podobnie jak w języku polskim.

Czerwony Kapturek

Little Red Riding Hood

lives/live
[livz/liv]
mieszka/mieszkać

woods
[wudz]
las

ill
[il]
chora/chory

remember
[ri'membƏ]
pamiętaj/pamiętać

on the way
[on ðƏ wei]
po drodze

strangers/stranger
['streindʒƏz/'streindʒƏ]
obcy

on the other side
[on ði' ʌðƏ said]
po drugiej stronie

Czerwony Kapturek mieszka z mamą w małym domku pod lasem. Pewnego dnia mama mówi:
– Babcia jest chora. Idź i zanieś jej ciasto i lekarstwa. Ale pamiętaj, nie zatrzymuj się po drodze i nie rozmawiaj z nikim obcym.
Dziewczynka bierze koszyczek i rusza w drogę do babci, która mieszka po drugiej stronie lasu.

Little Red Riding Hood lives with her mother in a little house near the woods. One day her mother says, "Your Granny is ill. Go and take her a cake and some medicine. But remember, don't stop on the way and don't talk to strangers."

The girl takes a basket and goes to see her Granny, who lives on the other side of the woods.

sunflower
['sʌnflauə]
słonecznik

mother
['mʌðə]
matka

hen
[hen]
kura

gate
[geit]
furtka

hand
[hand]
ręka

grass
[gra:s]
trawa

tree
[tri:]
drzewo

path
[pa:θ]
ścieżka

looks around/ look around
[luks ∂'raund/ luk ∂'raund]
rozgląda się/ rozglądać się

see
[si:]
widzi/widzieć

suddenly
['sʌdnli]
nagle

Don't hurry
[d∂unt 'hʌri]
Nie spiesz się

pick
[pik]
zbierz/zbierać

runs/run
[rʌnz/rʌn]
biegnie/biec

Jest słoneczny dzień. Czerwony Kapturek idzie leśną ścieżką. Rozgląda się dookoła i widzi dużo pięknych kwiatków. Nagle zza drzewa wyłania się wilk. - Dokąd idziesz, mała dziewczynko? - pyta.

- Do domku babci - odpowiada Czerwony Kapturek. Wilk wpada na chytry pomysł.

- Nie spiesz się. Zbierz kwiatki dla babuni - mówi, a sam biegnie do lasu.

It is a sunny day. Little Red Riding Hood walks along a path in the woods. She looks around. She can see lots of beautiful flowers. Suddenly a wolf comes from behind a tree. "Where are you going, little girl?" he asks. "To my Granny's house," says Little Red Riding Hood. The wolf has a clever idea. "Don't hurry. Pick some flowers for your Granny," he says and runs into the woods.

squirrel
[skwirl]
wiewiórka

hollow tree
['hol∂u tri:]
dziupla

ladybird
['leidib∂:d]
biedronka

mushroom
['mʌʃrum]
grzyb

wolf
[wulf]
wilk

patch
[patʃ]
łata

mouse
[maus]
mysz

advice
[əd'vais]
rada

begins/begin
[bi'ginz/bi'gin]
zaczyna/zaczynać

in the meantime
[in ðə 'mi:ntaim]
tymczasem

nap
[nap]
drzemka

Don't let him in!
[dəunt let him in]
Nie wpuszczaj go!

unfortunately
[ʌn'fo:tʃənətli]
niestety

without knocking
[wið'aut 'nokiŋ]
bez pukania

Czerwony Kapturek słucha rady wilka i zaczyna zbierać kwiatki. Tymczasem wilk biegnie szybko do domku babci. Zagląda przez okno i widzi staruszkę, która na fotelu ucina sobie drzemkę.

– Nie wpuszczaj go – ostrzega babcię mały krecik, który widzi wilka.

Niestety, jest już za późno. Wilk bez pukania otwiera drzwi i wchodzi do domku.

Little Red Riding Hood listens to the wolf's advice and begins to pick the flowers. In the meantime the wolf runs fast to Granny's house. He looks through the window and sees the old woman sitting in her chair and having a nap. "Don't let him in!" says a little mole who can see the wolf. Unfortunately, it is too late. The wolf opens the door without knocking and gets into the house.

bird
[bə:d]
ptaszek

handle
[handl]
klamka

granny
['grani]
babcia

door knocker
['do: 'nokə]
kołatka

heart
[ha:t]
serce

mole
[məul]
kret

stone
[stəun]
kamień

poor
[puə]
biedny

clothes
[kləuðz]
ubrania

a few
[ə fiu]
kilka

bedroom
['bedrum]
sypialnia

teeth/tooth
[ti:θ/tu:θ]
zęby/ząb

jumps out/
jump out
[dʒʌmps aut/
dʒʌmp aut]
wyskakuje/
wyskakiwać

in one big gulp
[in wan big gʌlp]
jednym kęsem

Wilczysko pożera biedną babcię. Zakłada jej ubranie i kładzie się do łóżka. „Gdzie jest ta milutka dziewczynka?" myśli wilk. Po chwili zjawia się Czerwony Kapturek i otwiera drzwi. „To dziwne" myśli. „Babcia ma takie wielkie oczy, uszy i zęby... Czy to na pewno ona?"

Nagle wilk wyskakuje z łóżka i jednym kęsem pożera Czerwonego Kapturka.

The wolf eats poor Granny. He puts on her clothes and gets into her bed. "Where is that sweet little girl?" he thinks. In a few minutes Little Red Riding Hood comes to Granny's house and opens the bedroom door. "It's strange," she thinks. "What big eyes and ears and teeth Granny has... Is this really her?" Suddenly the wolf jumps out of bed and eats Little Red Riding Hood in one big gulp.

girl
[g∂:l]
dziewczynka

mirror
['mir∂:]
lustro

basket
['baskit]
koszyk

lamp
[lamp]
lampa

stool
[stu:l]
stołek

mug
[mʌg]
kubek

teapot
['ti:pot]
imbryk

full
[ful]
najedzony

**falls asleep/
fall asleep**
[fo:lz ∂'sli:p/fo:l ∂'sli:p]
zasypia/zasypiać

hears/hear
[hi∂z/hi∂]
słyszy/słyszeć

loud
[laud]
głośne/głośny

snoring
['snoriŋ]
chrapanie

What's going on?
[wots goiŋ on]
Co się dzieje?

belly
['beli]
brzuch

Najedzone wilczysko zapada w sen. Koło domku babci przechodzi myśliwy i słyszy głośne chrapanie. – Co to znaczy? Co się tam dzieje? – zastanawia się. Otwiera drzwi i widzi śpiącego w łóżku wilka. Jednym cięciem otwiera mu gruby brzuch, z którego wyskakują babcia i wnuczka, szczęśliwe, że znów są bezpieczne. – Dziękujemy, że nas uratowałeś – mówią do myśliwego.

Now the wolf is full and he falls asleep. A hunter goes past Granny's house and hears some loud snoring. "What can it be? What's going on in this house?" he thinks. He opens the door and sees the wolf asleep in bed. He cuts his fat belly open and out jump Granny and her granddaughter, happy to be safe again. "Thank you for saving us," they say to the hunter.

hunter
['hʌntə]
myśliwy

handkerchief
['haŋkətʃif]
chusteczka

gun
[gʌn]
strzelba

jug
[dʒʌg]
dzbanek

bed
[bed]
łóżko

feather
['feðə]
piórko

tail
[teil]
ogon

The wolf is gone
[ðə wulf iz gon]
Nie ma już wilka

garden
[ga:dn]
ogród

all
[o:l]
wszyscy

ends/end
[endz/end]
kończy się/
kończyć się

well
[wel]
dobrze

promises/promise
['promisiz/'promis]
obiecuje/obiecywać

listen
[lisn]
słuchać

Nie ma już złego wilka. Babcia, myśliwy i Czerwony Kapturek siedzą przy stole w ogrodzie, jedząc ciasto i popijając herbatkę. Wszyscy są bardzo szczęśliwi.

– Wszystko dobre, co się dobrze kończy – mówi myśliwy. Czerwony Kapturek obiecuje, że od tej pory zawsze będzie słuchał mamy i że nigdy już nie będzie rozmawiać z obcymi.

Now the bad wolf is gone. Granny, the hunter and Little Red Riding Hood are at the garden table, sitting and having some cake and tea. They are all very happy. "All is well that ends well" says the hunter. Little Red Riding Hood promises to listen to her mother and never to talk to strangers.

hat
[hat]
kapelusz

table
[teibl]
stół

bottle
[botl]
butelka

cake
[keik]
ciasto

fruit
[fru:t]
owoce

chimney
['tʃimni:]
komin

roof
[ru:f]
dach

Little Red Riding Hood <u>lived</u> with her mother in a little house near the woods. One day her mother <u>said</u>, "Your Granny is ill. Go and take her a cake and some medicine. But remember, don't stop on the way and don't talk to strangers." The girl <u>took</u> a basket and <u>went</u> to see her Granny, who <u>lived</u> on the other side of the woods.

It <u>was</u> a sunny day. Little Red Riding Hood <u>walked</u> along a path in the woods. She <u>looked around</u>. She <u>could</u> see lots of beautiful flowers. Suddenly a wolf <u>came</u> from behind a tree. "Where are you going, little girl?" he <u>asked</u>. "To my Granny's house," <u>said</u> Little Red Riding Hood. The wolf <u>had</u> a clever idea. "Don't hurry. Pick some flowers for your Granny," he <u>said</u> and <u>ran</u> into the woods.

Little Red Riding Hood <u>listened</u> to the wolf's advice and <u>began</u> to pick the flowers. In the meantime the wolf <u>ran</u> fast to Granny's house. He <u>looked</u> through the window and <u>saw</u> the old woman sitting in her chair and having a nap. "Don't let him in," <u>said</u> a little mole who <u>could</u> see the wolf. Unfortunately, it <u>was</u> too late. The wolf <u>opened</u> the door without knocking and <u>got into</u> the house.

The wolf <u>ate</u> poor Granny. He <u>put on</u> her clothes and <u>got into</u> her bed. "Where is that sweet little girl?" he <u>thought</u>. In a few minutes Little Red Riding Hood <u>came</u> to Granny's house. She <u>opened</u> the bedroom door. "It is strange," she <u>thought</u>. "What big eyes and ears and teeth Granny has... Is this really her?" Suddenly the wolf <u>jumped out</u> of bed and <u>ate</u> Little Red Riding Hood in one big gulp.

Now the wolf was full and he fell asleep. A hunter going past Granny's house <u>heard</u> some loud snoring. "What can it be? What's going on in this house?" he <u>thought</u>. He <u>opened</u> the door and <u>saw</u> the wolf asleep in bed. He <u>cut</u> his fat belly open and out <u>jumped</u> Granny and her granddaughter, happy to be safe again." Thank you for saving us," they <u>said</u> to the hunter.

Now the bad wolf <u>was gone</u>. Granny, the hunter and Little Red Riding Hood <u>were</u> at the garden table sitting and having some cake and tea. They <u>were</u> all very happy. "All is well that ends well" <u>said</u> the hunter. Little Red Riding Hood <u>promised</u> to listen to her mother and never to talk to strangers.

A
advice [∂d'vais] – rada
all [o:l] – wszyscy
B
basket ['baskit] – koszyk
bed [bed] – łóżko
bedroom ['bedrum] – sypialnia
begins/begin [bi'ginz/bi'gin] –
        zaczyna/zaczynać
belly ['beli] – brzuch
bird [b∂:d] – ptaszek
bottle [botl] – butelka
C
cake [keik] – ciasto
chimney ['tʃimni:] – komin
clothes [kl∂uðz] – ubrania
D
Don't hurry [d∂unt 'hʌri] – Nie spiesz się
Don't let him in! [d∂unt let him in] –
        Nie wpuszczaj go!
door knocker ['do: 'nok∂] – kołatka
E
ends/end [endz/end] – kończy się/kończyć się
F
falls asleep/fall asleep [fo:lz ∂ 'sli:p/
        fo:l ∂ 'sli:p] – zasypia/zasypiać
feather ['feð∂] – piórko
a few [∂ fiu] – kilka
fruit [fru:t] – owoce
full [ful] – najedzony
G
garden [ga:dn] – ogród
gate [geit] – furtka
girl [g∂:l] – dziewczynka
granny ['grani] – babcia
grass [gra:s] – trawa
gun [gʌn] – strzelba
H
hand [hand] – ręka
handkerchief ['haŋk∂tʃif] – chusteczka
handle [handl] – klamka
hat [hat] – kapelusz
hears/hear [hi∂z/hi∂] – słyszy/słyszeć
heart [ha:t] – serce
hen [hen] – kura
hollow tree ['hol∂u tri:] – dziupla
hunter ['hʌnt∂] – myśliwy
I
ill [il] – chora/chory
in one big gulp [in wan big gʌlp] –
        jednym kęsem
in the meantime [in ð∂ 'mi:ntaim] –
        tymczasem
J
jug [dʒʌg] – dzbanek
jumps out/jump out
        [dʒʌmps aut/dʒʌmp aut] –
        wyskakuje/wyskakiwać
L
ladybird ['leidib∂:d] – biedronka

lamp [lamp] – lampa
listen [lisn] – słuchać
lives/live [livz/liv] – mieszka/mieszkać
looks around/look around
        [luks ∂'raund/luk ∂'raund] –
        rozgląda się/rozglądać się
loud [laud] – głośne/głośny
M
mirror ['mir∂:] – lustro
mole [m∂ul] – kret
mother ['mʌð∂] – matka
mouse [maus] – mysz
mug [mʌg] – kubek
mushroom ['mʌʃrum] – grzyb
N
nap [nap] – drzemka
O
on the other side [on ði 'ʌð∂ said] –
        po drugiej stronie
on the way [on ð∂ wei] – po drodze
P
patch [pa:ʃ] – łata
path [pa:θ] – ścieżka
pick [pik] – zbierz/zbierać
poor [pu∂] – biedny
promises/promise ['promisiz/'promis] –
        obiecuje/obiecywać
R
remember [ri'memb∂] – pamiętaj/pamiętać
roof [ru:f] – dach
runs/run [rʌnz/rʌn] – biegnie/biec
S
see [si:] – widzi/widzieć
snoring ['snoriŋ] – chrapanie
squirrel [skwirl] – wiewiórka
stone [st∂un] – kamień
stool [stu:l] – stołek
strangers/stranger
        ['streindʒ∂z/'streindʒ∂] – obcy
suddenly ['sʌdnli] – nagle
sunflower ['sʌnflau∂] – słonecznik
T
table [teibl] – stół
tail [teil] – ogon
teapot ['ti:pot] – imbryk
teeth/tooth [ti:θ/tu:θ] – zęby/ząb
tree [tri:] – drzewo
U
unfortunately [ʌn'fo:tʃ∂n∂tli] – niestety
W
well [wel] – dobrze
What's going on? [wots goiŋ on] –
        Co się dzieje?
without knocking [wið'aut 'nokiŋ] –
        bez pukania
wolf [wulf] – wilk
The wolf is gone [ð∂ wulf iz gon] –
        Nie ma już wilka
woods [wudz] – las

Królewna Śnieżka

Snow White

feet
[fi:t]
stopy

says/say
[sez/sei]
mówi/mówić

prettier
['priti∂]
piękniejsza

the prettiest
[ð∂ 'priti∂st]
najpiękniejsza

tells/tell
[telz/tel]
mówi/mówić
(komuś)

stepdaughter
['stepdot∂]
pasierbica

take
[teik]
weź/wziąć

Oto zła królowa. U stóp ma swego ulubieńca lamparta, a w ręku trzyma czarodziejskie lustro. Co dzień lustro mówi: – Tyś, królowo, najpiękniejsza.

Lecz pewnego dnia rzecze:

– Śnieżka, twoja pasierbica, jest od ciebie pięk-niejsza. Dlatego więc zła macocha każe myśliwemu zaprowadzić Śnieżkę do lasu i tam ją zabić.

This is a bad queen. She has a pet leopard at her feet and a magic mirror in her hand. Every day the mirror says, "You are the prettiest of all." But one day it says, "Snow White, your stepdaughter, is prettier than you." The bad queen tells the hunter to take the girl to the woods and kill her.

boot
[bu:t]
but

queen
[kwi:n]
królowa

mirror
['mir∂]
lustro

candle
[kandl]
świeca

door
[do:]
drzwi

dagger
['dag∂]
sztylet

leopard
['lep∂d]
gepard

good
[gud]
dobry

leaves/leave
[li:vz/li:v]
zostawia/zostawić

goes away/
go away
[gəuz ə'wei/gəu ə'wei]
odchodzi/
odchodzić

Don't worry
[dəunt 'wʌri]
Nie martw się

follow
['folou]
idź za/iść za

will be
[wil bi:]
będziesz

safe
[seif]
bezpieczna

Myśliwy jest dobrym człowiekiem. Nie potrafi zabić Śnieżki. Zostawia dziewczynkę w lesie i odchodzi. Śnieżka jest przerażona. Na szczęście w lesie spotyka wiele miłych zwierzątek. Jest tu sarenka, sowa, zając i wiewiórka.

– Nie martw się – mówi wiewiórka. – Idź za zajączkiem do domu krasnoludków. Tam będziesz bezpieczna.

The hunter is a good man. He can't kill Snow White. He leaves the girl in the woods and goes away. Snow White is scared. Luckily there are lots of friendly animals in the woods. There is a deer, an owl, a hare and a squirrel. "Don't worry," the squirrel says. "Follow the hare to the dwarfs' house. You will be safe there."

deer
[diə]
sarna

owl
[aul]
sowa

hare
[heə]
zając

palace
['palis]
zamek

bird
[bə:d]
ptak

mushroom
['mʌʃrum]
grzyb

squirrel
[skwirl]
wiewiórka

hut
[hʌt]
chatka

tiny
['taini]
malutki

tired
['taiəd]
zmęczona

place
[pleis]
miejsce

come back
[kʌm bak]
wracają/wracać

hush
[hʌʃ]
cii...

Let her sleep
[let hə sli:p]
Pozwólmy jej
spać

Śnieżka jest już w domu krasnoludków. To mała chatka ze stoliczkiem, krzesełkami i siedmioma łóżeczkami. „Cóż za słodki domek" myśli Śnieżka. Jest zmęczona i śpiąca. Kładzie się więc do łóżeczek krasnoludków i zasypia. Po pewnym czasie krasnale wracają do domu.
–Cóż to? Kto tak słodko śpi w naszych łóżeczkach? Och, jaka śliczna! Nie budźmy jej!

Now Snow White is in the dwarfs' house. It is a little hut with a tiny table, chairs and seven little beds. "What a sweet place," Snow White thinks. She is tired and sleepy. She goes to sleep on the dwarfs' beds. Suddenly the dwarfs come back home. "What is it? Who is there on our beds? Isn't she pretty? Hush, let her sleep!"

basket
['baskit]
koszyk

chair
[tʃeə]
krzesło

lamp
[lamp]
lampa

cap
[kap]
czapka

pillow
['piləu]
poduszka

rug
[rʌg]
dywanik

window
['windəu]
okno

morning
['mo:ni]
poranek

wakes up/
wake up
[weiks ʌp/weik ʌp]
budzi się/
budzić się

cleans/clean
[kli:nz/kli:n]
sprząta/sprzątać

kitchen
['kitʃin]
kuchnia

cooks/cook
[kuks/kuk]
gotuje/gotować

sweeps/sweep
[swi:ps/swi:p]
zamiata/zamiatać

floor
[flo:]
podłoga

Gdy Śnieżka się budzi, opowiada krasnoludkom swoją historię.

– Śnieżko, zostań z nami – proszą krasnoludki. Każdego dnia krasnoludki idą do pracy w kopalni, a Śnieżka sprząta w kuchni, zamiata podłogę i gotuje obiad. Wszyscy są szczęśliwi.

When Snow White wakes up she tells the dwarfs her story. The dwarfs say "Snow White, stay with us!"

Every morning the dwarfs go to work in the mine and Snow White cleans the kitchen, sweeps the floor and cooks dinner. They are all very happy.

jug
[dʒʌg]
dzbanek

bottle
[botl]
butelka

mouse
[maus]
mysz

plate
[pleit]
talerz

spoon
[spu:n]
łyżka

keys
[ki:z]
klucze

cake
[keik]
ciasto

**dresses up/
dress up**
['dresiz ʌp/'dres ʌp]
przebiera się/
przebierać się

princess
[prin'ses]
królewna

woman
['wumən]
kobieta

eats/eat
[i:ts/i:t]
zjada/zjeść

falls/fall
[fo:lz/fo:l]
upada/upaść

ground
[graund]
ziemia

poisoned
[poiznd]
zatrute

Tymczasem zła królowa dowiaduje się od lustra, że Śnieżka mieszka w domku krasnoludków. Przebiera się więc za starą kobietę i idzie do lasu. Odnajduje chatkę krasnoludków i częstuje Śnieżkę zatrutym jabłkiem. Królewna zjada je i zemdlona pada na ziemię.

The magic mirror tells the queen that Snow White is in the dwarfs' house. She dresses up as an old woman and goes to the woods. She finds the dwarfs' hut and gives Snow White a poisoned apple. The princess eats it and falls to the ground.

cat
[kat]
kot

pot
[pot]
garnek

apple
[apl]
jabłko

ribbon
['rib∂n]
wstążka

sunflower
['sʌnflau∂]
słonecznik

walking stick
['wokiŋ stik]
laska

dress
[dres]
sukienka

spell
[spel]
zaklęcie

cry
[krai]
płaczą/płakać

rides/ride
[raidz/raid]
przyjeżdża/
przyjechać

kisses/kiss
['kisiz/kis]
całuje/całować

It must be love
[it mʌst bi lʌv]
To musi być
miłość

get married
[get marid]
pobierają się/
pobierać się

forever
[fə'revə]
na zawsze

Zaczarowana przez złą królową Śnieżka nie może obudzić się ze snu. Krasnoludki siedzą wokół niej, popłakując. Lecz oto pojawia się książę na koniu. Patrzy na Śnieżkę i zachwycony całuje jej piękną buzię. Królewna otwiera oczy. „To chyba miłość" myśli. A potem pobierają się i żyją długo i szczęśliwie.

Poor Snow White is under the bad queen's spell. She can't wake up! The dwarfs sit around her and cry. Suddenly a young prince rides on a horse. He looks at Snow White and kisses her pretty face. The girl wakes up and looks at the prince. "It must be love," she thinks. Soon they get married and are happy forever.

prince
[prins]
książę

horse
[ho:s]
koń

sword
[so:d]
miecz

leaves
[li:vz]
liście

trees
[tri:z]
drzewa

strawberry
['stro:bri]
poziomka

stone
[stəun]
kamień

Unce upon a time there <u>was</u> a bad queen. She <u>had</u> a pet leopard at her feet and a magic mirror in her hand. Every day the mirror <u>said</u>, "You are the prettiest of all." But one day it <u>said</u>, "Snow White, your stepdaughter, is prettier than you." The bad queen <u>told</u> the hunter to take Snow White to the woods and kill her.

The hunter <u>was</u> a good man. He <u>could not</u> kill Snow White. He <u>left</u> the girl in the woods and <u>went away</u>. Snow White <u>was</u> scared. Luckily there <u>were</u> lots of friendly animals in the woods. There <u>was</u> a deer, an owl, a hare and a squirrel. "Don't worry," they <u>said.</u> "Follow the hare to the dwarfs' house. You will be safe there."

Snow White <u>was</u> in the dwarfs' house. It <u>was</u> a little hut with a tiny table, chairs and seven little beds. "What a sweet place," Snow White <u>said.</u> She <u>was</u> tired and sleepy. She <u>went</u> to sleep on the dwarfs' beds. Suddenly the dwarfs <u>came back</u> home. "What is it? Who is there on our beds? Isn't she pretty? Hush, let her sleep!"

When Snow White <u>woke up</u> she <u>told</u> the dwarfs her story. The dwarfs <u>said,</u> "Snow White, stay with us!" Every morning the dwarfs <u>went</u> to work in the mine and Snow White <u>cleaned</u> the kitchen, <u>swept</u> the floor and <u>cooked</u> dinner. They <u>were</u> all very happy.

The magic mirror <u>told</u> the queen that Snow White <u>was</u> in the dwarfs' house. She <u>dressed up</u> as an old woman and <u>went</u> to the woods. She <u>found</u> the dwarfs' hut and <u>gave</u> Snow White a poisoned apple. The princess <u>ate</u> it and <u>fell</u> to the ground.

Poor Snow White <u>was</u> under the bad queen's spell. She <u>could not</u> wake up. The dwarfs sat around her and <u>cried.</u> Suddenly a young prince <u>rode</u> on a horse. He <u>looked at</u> Snow White and <u>kissed</u> her pretty face. The girl <u>woke up</u> and <u>looked at</u> the prince. "It must be love," she <u>thought.</u> Soon they <u>got married</u> and <u>lived</u> happily forever.

A
apple [apl] – jabłko
B
basket ['baskit] – koszyk
bird [bə:d] – ptak
boot [bu:t] – but
bottle [botl] – butelka
C
cake [keik] – ciasto
candle [kandl] – świeca
cap [kap] – czapka
cat [kat] – kot
chair [tʃeə] – krzesło
cleans/clean [kli:nz/kli:n] –
        sprząta/sprzątać
come back [kʌm bak] – wracają/wracać
cooks/cook [kuks/kuk] –
        gotuje/gotować
cry [krai] – płaczą/płakać
D
dagger ['dagə] – sztylet
deer [diə] – sarna
Don't worry [dəunt 'wʌri] –
        Nie martw się
door [do:] – drzwi
dress [dres] – sukienka
dresses up/dress up
        ['dresiz ʌp/'dres ʌp] –
        przebiera się/przebierać się
E
eats/eat [i:ts/i:t] – zjada/zjeść
F
falls/fall [fo:lz/fo:l] – upada/upaść
feet [fi:t] – stopy
floor [flo:] – podłoga
follow ['foləu] - idź za/iść za
forever [fə'revə] – na zawsze
G
get married [get 'marid] –
        pobierają się/pobierać się
goes away/go away [gəuz ə'wei/gəu ə'wei] –
        odchodzi/odchodzić
good [gud] – dobry
ground [graund] – ziemia
H
hare [heə] – zając
horse [ho:s] – koń
hush [hʌʃ] – cii...
hut [hʌt] – chatka
I
It must be love [it mʌst bi lʌv] –
        To musi być miłość
J
jug [dʒʌg] – dzbanek
K
keys [ki:z] – klucze
kisses/kiss ['kisiz/kis] – całuje/całować
kitchen ['kitʃin] – kuchnia
L
lamp [lamp] – lampa

leaves/leave [li:vz/li:v] –
        zostawia/zostawiać
leaves [li:vz] – liście
leopard ['lepəd] – gepard
Let her sleep [let hə sli:p] –
        Pozwólmy jej spać
M
mirror ['mirə] – lustro
morning ['mo:ni] – poranek
mouse [maus] – mysz
mushroom ['mʌʃrum] – grzyb
O
owl [aul] – sowa
P
palace ['palis] – pałac
pillow ['piləu] – poduszka
place [pleis] – miejsce
plate [pleit] – talerz
poisoned [poiznd] – zatrute
pot [pot] – garnek
prettier ['pritiə] – piękniejsza
the prettiest [ðə 'pritiəst] – najpiękniejsza
prince [prins] – książę
princess [prin'ses] – królewna
Q
queen [kwi:n] – królowa
R
ribbon ['ribən] – wstążka
rides/ride [raidz/raid] –
        przyjeżdża/przyjechać
rug [rʌg] – dywanik
S
safe [seif] – bezpieczna
says/say [sez/sei] – mówi/mówić
spell [spel] – zaklęcie
spoon [spu:n] – łyżka
squirrel [skwirl] – wiewiórka
stepdaughter ['stepdotə] – pasierbica
stone [stəun] – kamień
strawberry ['stro:bri] – poziomka
sunflower ['sʌnflauə] – słonecznik
sweeps/sweep [swi:ps/swi:p] –
        zamiata/zamiatać
sword [so:d] – miecz
T
take [teik] – weź/wziąć
tells/tell [telz/tel] –
        mówi/mówić (komuś)
tiny ['taini] – malutki
tired ['taiəd] – zmęczona/zmęczony
trees [tri:z] – drzewa
W
wakes up/wake up [weiks ʌp/weik ʌp] –
        budzi się/budzić się
walking stick ['wokiŋ stik] – laska
will be [wil bi:] – będziesz
window ['windəu] - okno
woman ['wumən] – kobieta

Jaś i Małgosia

Hansel and Gretel

woodcutter
['wudkʌtə]
drwal

poor
[puə]
biedna/biedny

get lost
[get lost]
gubią się/
gubić się

on their way
[on ðeə wei]
po drodze

pick
[pik]
zbierają/zbierać

family
['famili]
rodzina

strange
[streindʒ]
dziwnie/dziwny

Jaś i Małgosia mieszkają w domku koło lasu. Ich ojciec jest drwalem, a cała rodzina jest biedna.

Pewnego dnia Jaś i Małgosia wyruszają na grzyby. Las jest ogromny i po pewnym czasie gubią się w nim. Po drodze widzą mały domek, który wygląda dziwnie. Dzieci są trochę przestraszone, ale chcą zobaczyć, kto tu mieszka.

Hansel and Gretel live in a little house near the woods. Their father is a woodcutter and they are a poor family. One day the children go to the wood to pick some mushrooms. The wood is very big and after some time they get lost. On their way they see a little house. It looks strange. The children are a bit scared but they want to see who lives in it.

hare
[heə]
zając

mushrooms
['mʌʃrumz]
grzyby

house
[haus]
dom

bird
[bə:d]
ptak

door
[do:]
drzwi

fence
[fens]
płot

nest
[nest]
gniazdo

closer/close
['kləuzə/'kləuz]
bliżej/blisko

roof
[ru:f]
dach

made of
[meid ∂v]
zrobiony z

icing
['aisiŋ]
lukier

hungry
['hʌŋgri]
głodni/głodny

begin
[bi'gin]
zaczynają/
zaczynać

asks/ask
[a:sks/a:sk]
prosi/prosić

Gdy podchodzą bliżej, widzą, że dach domu zrobiony jest z czekolady, okna z lukru, a ściany z herbatników. Jaś i Małgosia są głodni i zaczynają jeść.

Nagle drzwi otwierają się i z domku wychodzi stara kobieta. Wita się z dziećmi i zaprasza je do środka.

When they come closer, they see that the roof of the house is made of chocolate, the windows are made of icing and the walls are made of biscuits. Hansel and Gretel are hungry so they begin to eat.

Suddenly the door opens and an old woman comes out of the house. She says hello to the children and asks them to come in.

witch
[witʃ]
czarownica

biscuit
['biskit]
herbatnik
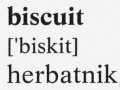

basket
['baskit]
koszyk

ribbon
['ribən]
wstążka

pot
[pot]
garnek

leaves
[li:vz]
liście

boy
[boi]
chłopiec

scared
[ske∂d]
przerażone/
przerażony

**looks like/
look like**
[luks laik/luk laik]
wygląda jak/
wyglądać jak

shoulder
['ʃ∂uld∂]
ramię

corner
['ko:n∂]
róg

cage
[keidʒ]
klatka

too thin
[tu: θin]
za chudy

wait
[weit]
poczekać

Dzieci są w domu staruszki, która wygląda teraz jak czarownica z ogromnym czarnym krukiem siedzącym na ramieniu. W rogu kuchni stoi klatka. Wiedźma każe Jasiowi do niej wejść.

– Jesteś za chudy – mówi. – Nie mogę cię jeszcze zjeść. Muszę poczekać, aż utyjesz.

Teraz dzieci są naprawdę przerażone.

The children are in the old woman's house. Now she looks like a witch with a big black raven sitting on her shoulder. In the corner of the kitchen there is a cage. The witch tells Hansel to get into it. "You are too thin," she says. "I can't eat you. I must wait until you get fatter."

Now the children are really scared.

mouse
[maus]
mysz

snake
[sneik]
wąż

walking stick
['wo:kiŋ stik]
laska

sock
[sok]
skarpetka

raven
['reivən]
kruk

padlock
['padlok]
kłódka

onion
['ʌniən]
cebula

food
[fu:d]
jedzenie

stick
[stik]
patyczek

finger
['fiŋg∂]
palec

all day long
[o:l dei loŋ]
cały dzień

every day
['evri dei]
co dzień

shows/show
[∫∂uz/∫∂u]
pokazuje/
pokazywać

clever
['klev∂]
sprytny

Co dzień czarownica daje Jasiowi dużo jedzenia. Każe mu pokazywać paluszek, żeby sprawdzić, czy już utył. Chłopiec jest bardzo sprytny. Zamiast palca pokazuje jej patyczek.

Małgosia pracuje całymi dniami. Martwi się o braciszka, ale nie może mu pomóc. Wiedźma z dnia na dzień jest coraz bardziej głodna.

Every day the witch gives Hansel a lot of food. Then she looks at his finger to see if he is fatter. The boy is very clever. He shows her a little stick instead.

Gretel has to work all day long. She feels sorry for her brother but she can't help him.

The witch gets hungrier and hungrier every day.

broom
[bru:m]
miotła

jug
[dʒʌg]
dzbanek
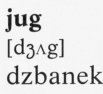

pillow
['pil∂u]
poduszka

girl
[g∂:l]
dziewczynka

spider
['spaid∂]
pająk

tea towel
['ti: 'tau∂l]
ścierka

window
['wind∂u]
okno

decides/decide
[di'saidz/di'said]
postanawia/
postanawiać

time
[taim]
czas

oven
[ʌvn]
piec

too high
[tu: hai]
za wysoko

Silly you!
['sili 'ju:]
Głuptasie!

shovel
[ʃʌvl]
łopata

slam
[slam]
zatrzaskują/
zatrzaskiwać

Pewnego dnia czarownica postanawia, że nad-szedł czas, aby pożreć Jasia. Każe mu wskoczyć na wielką łopatę, żeby potem wepchnąć go do pieca.

– Nie potrafię! – skarży się Jaś. – To dla mnie za wysoko.

– Głuptasie! Zaraz ci pokażę – mówi czarownica i sama wskakuje na łopatę. Wtedy dzieci wpychają ją do pieca i zatrzaskują drzwiczki.

One day the witch decides it is time to eat Hansel. She tells him to jump onto a big shovel and wants to push them into the oven. "I can't jump onto it. It's too high," says Hansel. "Silly you," says the witch. "I can show you." And she jumps onto the shovel.

The children push her into the oven and slam the door.

book
[buk]
książka

slippers
['slipəz]
kapcie

candle
[kandl]
świeca

bottle
[botl]
butelka

bed
[bed]
łóżko

stool
[stu:l]
stołek

cat
[kat]
kot

easy
['izi]
łatwe/łatwy

way back home
[wei bak h∂um]
powrotna droga
do domu

luckily
['lʌkili]
na szczęście

friendly
['frendli]
przyjazne/
przyjazny

**treasures/
treasure**
['treʒ∂z/'treʒ∂]
skarby/skarb

safe and sound
[seif ∂n saund]
cali i zdrowi

parents
['pe∂rnts]
rodzice

Jaś i Małgosia z trudem odnajdują drogę do domu. Na szczęście, pomagają im w tym przyjazne zwierzątka. W domu witają ich rodzice, uradowani powrotem dzieci całych i zdrowych.
Jaś i Małgosia opowiadają rodzicom o swojej przygodzie. Potem dają im skrzynię ze skarbami, które zabrały z domu czarownicy. I tak szczęśliwie kończy się bajka o Jasiu i Małgosi.

It is not easy for the children to find their way back home. Luckily some friendly animals help them.

When they come back home their parents are there, happy to see them safe and sound after such a long time. Hansel and Gretel tell their parents about their adventure. Then they give them the box of treasures they took from the witch's house.

And this is the happy ending of the story.

mother
['mʌðə]
matka

sunflower
['sʌnflauə]
słonecznik

butterfly
['bʌtəflai]
motyl

dog
[dog]
pies

scarecrow
['skeəkrəu]
strach
na wróble

pot plant
[pot plant]
roślina
doniczkowa

father
['fa:ðə]
ojciec

Hansel and Gretel <u>lived</u> in a little house near the woods. Their father <u>was</u> a woodcutter and they <u>were</u> a poor family. One day the children <u>went</u> to the wood to pick some mushrooms. The wood <u>was</u> very big and after some time they <u>got</u> <u>lost</u>. On their way they <u>saw</u> a little house. It <u>looked</u> strange. The children <u>were</u> a bit scared but they <u>wanted</u> to see who <u>lived</u> in it.

When they <u>came</u> closer, they <u>saw</u> that the roof of the house <u>was</u> made of chocolate, the windows <u>were</u> made of icing and the walls <u>were</u> made of biscuits. Hansel and Gretel <u>were</u> hungry so they <u>began</u> to eat. Suddenly the door <u>opened</u> and an old woman <u>came out</u> of the house. She <u>said</u> hello to the children and <u>asked</u> them to come in.

The children <u>were</u> in the old woman's house. Now she <u>looked</u> like a witch with a big black raven sitting on her shoulder. In the corner of the kitchen there <u>was</u> a cage. The witch <u>told</u> Hansel to get into it. "You are too thin," she <u>said</u>. "I can't eat you. I must wait until you get fatter." Now the children <u>were</u> really scared.

Every day the witch <u>gave</u> Hansel a lot of food. Then she <u>looked</u> at his finger to see if he <u>was</u> fatter. The boy <u>was</u> very clever. He <u>showed</u> her a little stick instead. Gretel <u>had to</u> work all day long. She <u>felt</u> sorry for her brother but she <u>couldn't</u> help him. The witch <u>got</u> hungrier and hungrier every day.

One day the witch <u>decided</u> it <u>was</u> time to eat Hansel. She <u>told</u> him to jump onto a big shovel and <u>wanted</u> to push him into the oven. "I can't jump onto it. It's too high," <u>said</u> Hansel. "Silly you," <u>said</u> the witch. "I can show you." And she <u>jumped</u> onto the shovel. The children <u>pushed</u> her into the oven and <u>slammed</u> the door.

It <u>was not</u> easy for the children to find their way back home. Luckily some friendly animals <u>helped</u> them. When they <u>came back</u> home their parents <u>were</u> there, happy to see them safe and sound after such a long time. Hansel and Gretel <u>told</u> their parents about their adventure in the woods. Then they <u>gave</u> them the box of treasures from the witch's house. And that <u>was</u> the happy ending of the story.

A
all day long [o:l dei loŋ] – cały dzień
asks/ask [a:sks/a:sk] – prosi/prosić
B
basket ['baskit] – koszyk
bed [bed] – łóżko
begin [bi'gin] – zaczynają/zaczynać
bird [bə:d] – ptak
biscuit ['biskit] – herbatnik
book [buk] – książka
bottle [botl] – butelka
boy [boi] – chłopiec
broom [bru:m] – miotła
butterfly ['bʌtəflai] – motyl
C
cage [keidʒ] – klatka
candle [kandl] – świeca
cat [kat] – kot
clever ['klevə] – sprytny
closer/close ['kləuzə/'kləuz] –
        bliżej/blisko
corner ['ko:nə] – róg
D
decides/decide [di'saidz/di'said] –
        postanawia/postanawiać
dog [dog] – pies
door [do:] – drzwi
E
easy ['izi] – łatwe/łatwo
every day ['evri dei] – co dzień
F
family ['famili] – rodzina
father ['fa:ðə] – ojciec
fence [fens] – płot
finger ['fiŋgə] – palec
food [fu:d] – jedzenie
friendly ['frendli] – przyjazne/przyjazny
G
get lost [get lost] – gubią się/gubić się
girl [gə:l] – dziewczynka
H
hare [heə] – zając
house [haus] – dom
hungry ['hʌŋgri] – głodni/głodny
I
icing ['aisiŋ] – lukier
J
jug [dʒʌg] – dzbanek
L
leaves [li:vz] – liście
looks like/look like [luks laik/luk laik] –
        wygląda jak/wyglądać jak
luckily ['lʌkili] – na szczęście
M
made of [meid əv] – zrobiony z
mother ['mʌðə] – matka
mouse [maus] – mysz
mushrooms ['mʌʃrumz] – grzyby

N
nest [nest] – gniazdo
O
on their way [on ðeə wei] – po drodze
onion ['ʌniən] – cebula
oven [ʌvn] – piec
P
padlock ['padlok] – kłódka
parents ['peərnts] – rodzice
pick [pik] – zbierają/zbierać
pillow ['piləu] – poduszka
poor [puə] – biedna/biedny
pot [pot] – garnek
pot plant [pot plant] –
        roślina doniczkowa
R
raven ['reivən] – kruk
ribbon ['ribən] – wstążka
roof [ru:f] – dach
S
safe and sound [seif ən saund] –
        cali i zdrowi
scarecrow ['skeəkrəu] – strach na wróble
scared [skeəd] – przerażone/przerażony
shoulder ['ʃəuldə] – ramię
shovel [ʃʌvl] – łopata
shows/show [ʃəuz/ʃəu] –
        pokazuje/pokazywać
Silly you! ['sili 'ju:] – Głuptasie!
slam [slam] – zatrzaskują/zatrzaskiwać
slippers ['slipəz] – kapcie
snake [sneik] – wąż
sock [sok] – skarpetka
spider ['spaidə] – pająk
stick [stik] – patyczek
stool [stu:l] – stołek
strange [streindʒ] – dziwnie/dziwny
sunflower ['sʌnflauə] – słonecznik
T
tea towel ['ti: 'tauəl] – ścierka
time [taim] – czas
too high [tu: hai] – za wysoko
too thin [tu: θin] – za chudy
treasures/treasure ['treʒəz/'treʒə] –
        skarby/skarb
W
wait [weit] – poczekać
walking stick ['wo:kiŋ stik] – laska
way back home [wei bak həum] –
        powrotna droga do domu
window ['windəu] – okno
witch [witʃ] – czarownica
woodcutter ['wudkʌtə] – drwal

Śpiąca Królewna

The Sleeping Beauty

faraway
['fa:rəwei]
daleka/daleki

is born/be born
[iz'bo:n/bi: 'bo:n]
rodzi się/
rodzić się

give a party
['giv ə 'pa:ti]
wydają/
wydawać
przyjęcie

gift
[gift]
podarunek

beauty
['bju:ti]
uroda

wealth
[welθ]
bogactwo

wisdom
['wizdəm]
mądrość

W dalekiej krainie królewskiej parze rodzi się mała córeczka. Rodzice są tak szczęśliwi, że wydają w swym pałacu wielkie przyjęcie. Jest na nim dwanaście wróżek – każda z nich ofiarowuje dziewczynce podarunek. Jedna daje jej urodę, inna bogactwo, a jeszcze inna mądrość.

In a faraway land a little baby girl is born to the king and queen. The parents are so happy that they give a big party at the palace. There are twelve fairies at the party and each gives the girl a gift. One gives her beauty, another wealth and yet another wisdom.

fairy
['feəri]
wróżka

cord
[ko:d]
sznur

crown
['kraun]
korona

fruit
[fru:t]
owoce

queen
[kwi:n]
królowa

bow
[bəu]
kokarda

cradle
['kreidl]
kołyska

angry
['aŋgri]
zła/zły

invitation
[invi'teiʃn]
zaproszenie

prick
[prik]
ukłuć się

scared
[ske∂d]
przerażeni/
przerażony

die
[dai]
umrzeć

Don't worry
['d∂unt 'wʌri]
Nie martwcie się

destroys/destroy
[di'stroiz/di'stroi]
niszczy/niszczyć

Nagle pojawia się trzynasta wróżka. Jest zła, bo nie dostała zaproszenia na bal. Zła wróżka zapowiada: – Gdy dziewczynka skończy piętnaście lat, ukłuje się wrzecionem w palec i umrze.

Wszyscy są przerażeni. Lecz jedna z dobrych wróżek pociesza: – Nie martwcie się. Królewna nie umrze tylko zaśnie.

Król niszczy wszystkie wrzeciona w królestwie.

Suddenly the thirteenth fairy comes in. She is very angry because she hasn't got an invitation. The bad fairy says, "When the girl is fifteen she will prick her finger with a spindle and die." Everyone is scared. But one of the good fairies says, "Don't worry! The princess will not die. She will only fall asleep."

The king destroys all the spindles in the kingdom.

doll
[dol]
lalka

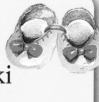
slippers
['slipəz]
kapciuszki

bunny
['bʌni]
zajączek

baby
['beibi]
dziecko

wand
[wo:nd]
różdżka

ball
[bo:l]
piłka

puppy
['pʌpi]
szczeniak

Time passes
[taim 'pa:siz]
Mija czas

climbs/climb
[klaimz/klaim]
wspina się/
wspinać się

hide-and-seek
[haid and si:k]
zabawa
w chowanego

stairs
[ste∂z]
schody

spinning/spin
['spiniŋ/spin]
przędąca/prząść

accidentally
[aksi'dentli]
przez przypadek

deep sleep
[di:p sli:p]
głęboki sen

Czas mija szybko. Królewna ma już piętnaście lat. Pewnego dnia, bawiąc się w chowanego, trafia do wieży w odległej części pałacu. Wspina się po schodach i otwiera drzwi. Widzi starą kobietę, przędącą na kołowrotku. Bierze od niej wrzeciono, przez przypadek kłuje się w palec i zapada w głęboki sen.

Time passes quickly. Now the princess is fifteen. One day as she plays hide-and-seek she comes to a tower at the far end of the palace. She climbs the stairs and opens the door. She sees an old woman spinning. She takes a spindle from her and accidentally pricks her finger. Then she falls into a deep sleep.

spindle
['spindl]
wrzeciono

kitten
[kitn]
kotek

yarn
[ja:n]
kłębek

wool
[wu:l]
wełna

garlic
['ga:lik]
czosnek

padlock
['padlok]
kłódka

spinner
['spinə]
prządka

asleep
[ə'sli:p]
uśpiony

thick
[θik]
gęste/gęsty

bushes/bush
['buʃiz/buʃ]
krzaki/krzak

roof
[ru:f]
dach

brave
[breiv]
dzielni/dzielny

get through
[get θru:]
przedrzeć się

find
[faind]
znajdować

Cały dwór jest uśpiony wraz z królewną – ludzie, konie, psy i gołębie na dachu. Po stu latach wokół pałacu rosną gęste krzaki. Wielu dzielnych młodzieńców stara się przez nie przedrzeć, żeby dotrzeć do Śpiącej Królewny, lecz nikomu z nich się to nie udaje. Na szczęście pewien książę znajduje w końcu drogę do pałacu.

Everyone at the palace is asleep – the people, the horses, the dogs and the pigeons on the roof. After a hundred years there are thick bushes around the palace. Many brave young men try to get through them but no one can. Finally, a prince is lucky enough to find the way to the palace.

tower
['tau∂]
wieża

knight
[nait]
rycerz

sword
[so:d]
miecz

gate
[geit]
brama

prince
[prins]
książę

mouse
[maus]
mysz

flower
['flau∂]
kwiat

towards
[tə'wo:dz]
w kierunku

finally
['fainəli]
w końcu

face
[feis]
buzia, twarz

kisses/kiss
['kisiz/kis]
całuje/całować

smiles/smile
[smailz/smail]
uśmiecha się/
uśmiechać się

wakes up/wake up
['weiks ʌp/'weik ʌp]
budzi się/
budzić się

everyone
['evriwʌn]
wszyscy, każdy

Książę idzie w kierunku wieży, wspina się po schodach i w końcu znajduje królewnę, śpiącą na łóżku. Jej śliczna buzia tak bardzo mu się podoba, że ją całuje.

Dziewczyna otwiera oczy i uśmiecha się do księcia. Po chwili wszyscy na dworze też się budzą.

The prince walks towards the tower, goes up the stairs and finally finds Sleeping Beauty asleep on the bed. He likes her sweet face so much that he kisses her. The girl opens her eyes and smiles at the prince. After a moment everyone at the palace wakes up too.

princess
[prin'ses]
królewna

towel
['tauəl]
ręcznik

candlestick
['kandlstik]
świecznik

plate
[pleit]
talerz

jug
[dʒʌg]
dzban

ink-pot
['iŋkpot]
kałamarz

heart
[ha:t]
serce

wedding party
['wediŋ 'pa:ti]
wesele

important
[im'po:tənt]
ważni/ważny

guests/guest
[gests/gest]
goście/gość

gather
['gaðə]
zbierają się/
zbierać się

full
[ful]
pełny

together
[tə'geðə]
razem

forever
[fə'revə]
na zawsze

W pałacu odbywa się huczne wesele. Przybywa na nie wielu ważnych gości. Wszyscy zbierają się na balkonie pełnym kwiatów i dekoracji. Słychać muzykę i odgłosy tańców. Wszyscy są szczęśliwi. Najszczęśliwsi są jednak książę i księżniczka – teraz mogą być już na zawsze razem.

There is a big wedding party at the palace. Many important guests come to it. They all gather on the balcony full of flowers and decorations. There is a lot of music and dancing. Everybody is very happy. The prince and the princess are the happiest of all. Now they can be together forever.

king
[kiŋ]
król

bride and groom
[braid and gru:m]
młoda para

squirrel
['skwirəl]
wiewiórka

butterfly
['bʌtəflai]
motyl

parrot
['parət]
papuga

handkerchief
['haŋkətʃi:f]
chusteczka

pigeon
['pidʒin]
gołąb

In a faraway land a little baby girl <u>was born</u> to the king and queen. The parents <u>were</u> so happy that they <u>gave</u> a big party at the palace. There <u>were</u> twelve fairies at the party and each <u>gave</u> the girl a gift. One <u>gave</u> her beauty, another wealth and yet another wisdom.

Suddenly the thirteenth fairy <u>came in</u>. She <u>was</u> very angry because she <u>didn't have</u> an invitation. The bad fairy <u>said</u>, "When the girl is fifteen, she will prick her finger with a spindle and die." Everyone <u>was</u> scared. But one of the good fairies <u>said</u>, "Don't worry! The princess will not die. She will only fall asleep." The king <u>destroyed</u> all the spindles in the kingdom.

Time <u>passed</u> quicky. The princess <u>was</u> fifteen. One day as she <u>played</u> hide-and-seek she <u>came</u> to a tower at the far end of the palace. She <u>climbed</u> the stairs and <u>came</u> to a door. She <u>opened</u> it and <u>saw</u> an old woman spinning. She <u>took</u> a spindle from her and accidentally <u>pricked</u> her finger. Then she <u>fell</u> into a deep sleep.

Everyone at the palace <u>was</u> asleep – the people, the horses, the dogs and the pigeons on the roof. After a hundred years there <u>were</u> thick bushes around the palace. Many brave young men <u>tried</u> to get through them but no one <u>could</u>. Finally, a prince <u>was</u> lucky enough to find the way to the palace.

The prince <u>walked</u> towards the tower, <u>went up</u> the stairs and <u>found</u> the Sleeping Beauty asleep on the bed. He <u>liked</u> her pretty face so much that he <u>kissed</u> her. The girl <u>opened</u> her eyes and <u>smiled</u> at the prince. Everyone at the palace <u>woke up</u> too.

There <u>was</u> a big wedding party at the palace. Many important guests <u>came</u> to it. They all <u>gathered</u> on the balcony full of flowers and decorations. There <u>was</u> a lot of music and dancing. Everybody <u>was</u> very happy. The prince and the princess <u>were</u> the happiest of all. Now they <u>could</u> be together forever.

A

accidentally [aksi'dentli] – przez przypadek

angry ['aŋgri] – zła/zły

asleep [ə'sli:p] – uśpiony

B

baby ['beibi] – dziecko

ball [bo:l] – piłka

beauty ['bju:ti] – uroda

bow [bəu] – kokarda

brave [breiv] – dzielni/dzielny

bride and groom [braid and gru:m] – młoda para

bunny ['bʌni] – zajączek

bushes/bush ['buʃiz/buʃ] –krzaki/krzak

butterfly ['bʌtəflai] – motyl

C

candlestick ['kandlstik] – świecznik

climbs/climb [klaimz/klaim] – wspina się/wspinać się

cord [ko:d] – sznur

cradle ['kreidl] – kołyska

crown ['kraun] – korona

D

deep sleep [di:p sli:p] – głęboki sen

destroys/destroy [di'stroiz/di'stroi] – niszczy/niszczyć

die [dai] – umrzeć

doll [dol] – lalka

Don't worry ['dəunt 'wʌri] – Nie martwcie się

E

everyone ['evriwʌn] – wszyscy, każdy

F

face [feis] – buzia, twarz

fairy ['feəri] – wróżka

faraway ['fa:rəwei] – daleka/daleki

finally ['fainəli] – w końcu

find [faind] – znajdować

flower ['flauə] – kwiat

forever [fə'revə] – na zawsze

fruit [fru:t] – owoce

full [ful] – pełny

G

garlic ['ga:lik] – czosnek

gate [geit] – brama

gather ['gaðə] – zbierają się/zbierać się

get through [get θru:] – przedrzeć się

gift [gift] – podarunek

give a party ['giv ə 'pa:ti] – wydają/wydawać przyjęcie

guests/guest [gests/gest] – goście/gość

H

handkerchief ['haŋkətʃi:f] – chusteczka

heart [ha:t] – serce

hide-and-seek [haid and si:k] – zabawa w chowanego

I

important [im'po:tənt] – ważni/ważny

ink-pot ['iŋkpot] – kałamarz

invitation [invi'teiʃn] – zaproszenie

is born/be born [iz'bo:n/bi: 'bo:n] – rodzi się/rodzić się

J

jug [dʒʌg] – dzban

K

king [kiŋ] – król

kisses/kiss ['kisiz/kis] – całuje/całować

kitten [kitn] – kotek

knight [nait] – rycerz

M

mouse [maus] – mysz

P

padlock ['padlok] – kłódka

parrot ['parət] – papuga

pigeon ['pidʒin] – gołąb

plate [pleit] – talerz

prick [prik] – ukłuć się

prince [prins] – królewicz

princess [prin'ses] – królewna

puppy ['pʌpi] – szczeniak

Q

queen [kwi:n] – królowa

R

roof [ru:f] – dach

S

scared [skeəd] – przerażeni/przerażony

slippers ['slipəz] – kapciuszki

smiles/smile [smailz/smail] – uśmiecha się/uśmiechać się

spindle ['spindl] – wrzeciono

spinner ['spinə] – prządka

spinning/spin ['spiniŋ/spin] – przędąca/prząść

squirrel ['skwirəl] – wiewiórka

stairs [steəz] – schody

sword [so:d] – miecz

T

thick [θik] – gęste/gęsty

Time passes [taim 'pa:siz] – Mija czas

together [tə'geðə] – razem

towards [tə'wo:dz] – w kierunku

towel ['tauəl] – ręcznik

tower ['tauə] – wieża

W

wakes up/wake up ['weiks ʌp/'weik ʌp] – budzi się/budzić się

wand [wo:nd] – różdżka

wealth [welθ] – bogactwo

wedding party ['wediŋ 'pa:ti] – wesele

wisdom ['wizdəm] – mądrość

wool [wu:l] – wełna

Y

yarn [ja:n] – kłębek

Kot w Butach

Puss in Boots

miller

['milə]

młynarz

son

[sʌn]

syn

first

[fə:st]

pierwszy

second

['sekənd]

drugi

third

['θə:d]

trzeci

clever

['klevə]

mądry

pair

[peə]

para

Stary młynarz ma trzech synów. Pierwszemu z nich daje młyn, drugiemu osła, a trzeciemu, Jasiowi, kota. Kot jest bardzo mądry. Pewnego dnia mówi do Jasia: – Jeśli kupisz mi parę butów i kapelusz, uczynię cię szczęśliwym i bogatym.

Kot dostaje buty i od tej chwili wszyscy nazywają go Kotem w Butach.

An old miller has three sons. He gives his first son the mill, his second son – a donkey and his third son, John – a cat. The cat is very clever. One day he says to John, "If you buy me a pair of boots and a hat, I can make you happy and rich."

The cat gets the boots and now everybody calls him Puss in Boots.

hedgehog
['hedʒhog]
jeż

river
['rivə]
rzeka

hat
[hat]
kapelusz

mill
[mil]
młyn

tree
[tri:]
drzewo

squirrel
['skwirəl]
wiewiórka

boots
[bu:ts]
buty

walk
[wo:k]
spacer

fields/field
[fi:ldz/fi:ld]
pola/pole

kingdom
['kiŋdəm]
królestwo

please
[pli:z]
proszę

master
['ma:stə]
pan

belong to
[bi'loŋ tu]
należą do/
należeć do

here
[hiə]
tutaj

Następnego dnia Kot w Butach idzie na spacer wśród pól. Rozmawia z wieśniakami, którzy mówią mu, że są nieszczęśliwi, gdyż w królestwie panuje zły olbrzym. – Mogę wam pomóc – mówi Kot, – ale najpierw chciałbym, abyście wy zrobili coś dla mnie. Jeśli przyjedzie tu król, powiedzcie mu, że te pola należą do mego pana, Markiza Karabasa.

The next day Puss goes for a walk in the fields. He talks to some farmers. They tell him they are very unhappy because there is a bad giant in the kingdom. "I can help you," says the cat, "but first you must do something for me. If the king comes here, please tell him that these fields belong to my master, the Marquis of Carabas."

farmer ['fɑːmə] rolnik

carriage ['karidʒ] powóz

poppy ['popi] mak

dasies ['deiziz] stokrotki

road [rəud] droga

cat [kat] kot

house [haus] dom

ride
[raid]
jadą/jechać

daughter
['do:t∂]
córka

take off
[teik of]
zdjąć

clothes
[kl∂u∂z]
ubranie

jump into
[dʒʌmp 'int∂]
wskoczyć

idea
[ai'di∂]
pomysł

robbers/robber
['rob∂z/'rob∂]
zbójcy/zbójca

Król i jego córka, królewna, jadą swym powozem. Kot w Butach wpada na dobry pomysł. Każe Jasiowi zdjąć ubranie i wskoczyć do rzeki. Gdy królewski powóz jest niedaleko, Kot zatrzymuje go i mówi:

– Zbójcy zabrali ubranie mego pana. Proszę, pomóżcie nam wrócić do zamku. Król daje Jasiowi nowe ubranie i razem jadą w dalszą drogę.

The king and his daughter, the princess, ride down the road in their carriage. Puss has an excellent idea. He tells John to take off his clothes and jump into the river. When the king's carriage is near the river, Puss stops it and says, "Some robbers took my master's clothes. Please help us get back to our castle." The king gives John some new clothes and they ride on together.

castle
[ka:sl]
zamek

necklace
['nekləs]
naszyjnik

king
[kiŋ]
król

crown
[kraun]
korona

duck
[dʌk]
kaczka

frog
[frog]
żaba

princess
[prin'ses]
królewna

asks/ask
[a:sks/a:sk]
pyta/pytać

magician
[mə'dʒiʃən]
czarodziej

turn into
['tə:n 'intə]
zmienić się

surprised
[sə'praizd]
zdziwiony

dressed
[drest]
ubrany

wants/want
[wonts/wont]
chce/chcieć

of course
[əf' ko:s]
naturalnie

Kot biegnie do zamku olbrzyma, który jest czarodziejem i umie zmienić się, w co tylko zechce.

Gdy olbrzym widzi mówiącego ludzkim głosem Kota w eleganckim ubraniu, jest bardzo zdziwiony.

Kot w Butach pyta go, czy umiałby zmienić się w mysz.

– Oczywiście, że tak – odpowiada olbrzym.

The cat runs to the giant's castle. The giant is a magician. He can turn into anything he wants.

When the giant sees a talking cat dressed in elegant clothes, he is surprised. Puss in Boots asks him, "Can you turn into a mouse?"

"Of course I can," says the giant.

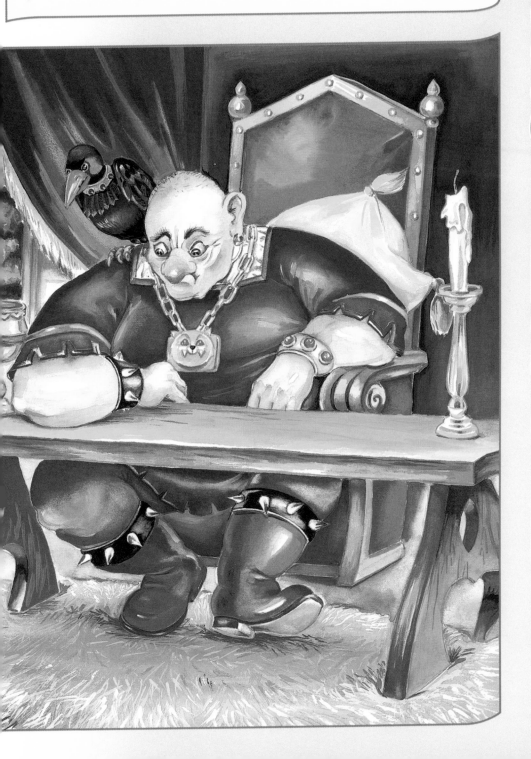

raven
['reivən]
kruk

candle
[kandl]
świeca

bracelet
['breislət]
bransoletka

sword
[so:d]
miecz

candlestick
['kandlstik]
świecznik

table
[teibl]
stół

giant
['dʒaiənt]
olbrzym

eats up/eat up [i:ts ʌp/i:t ʌp] zjada/zjeść	80 Kot w Butach

eats up/eat up
[i:ts ʌp/i:t ʌp]
zjada/zjeść

runs/run
['rʌnz/'rʌn]
biegnie/biec

in front of
[in 'frʌnt ɘv]
przed

after
['a:ftɘ]
po

welcomes/
welcome
['welkɘmz/'welkɘm]
wita/witać

come
[kʌm]
przybywają/
przybywać

little
[litl]
mały

Po chwili przed Kotem pojawia się mała myszka. Kot biegnie za nią i ją zjada. W zamku nie ma już złego olbrzyma. Teraz może tu zamieszkać Jaś.

Wkrótce Jaś i królewna przybywają do zamku. Kot w Butach wita ich serdecznie.

In a second there is a little mouse in front of Puss. He runs after the mouse and eats it up. The bad giant is no longer in the castle. Now it can be John's new house. Soon John and the princess come into the castle. Puss in Boots welcomes them.

tail
[teil]
ogon

trunk
[trʌŋk]
kufer

mouse
[maus]
mysz

floor
[flo:]
podłoga

window
['windəu]
okno

ribbon
['ribən]
wstążka

curtain
[kə:tn]
zasłona

get married
[get 'marid]
pobierają się/
pobierać się

wedding
['wediŋ]
ślub

people
[pi:pl]
ludzie

the end
[ði 'end]
koniec

proud
[praud]
dumny

story
['stori]
historia

become
[bi'kʌm]
stać się

Jaś i królewna pobierają się. Mają wspaniałe wesele. Zapraszają na nie wszystkich swoich poddanych. Królestwo staje się szczęśliwą krainą. Kot jest bardzo dumny. Pomógł swemu panu stać się szczęśliwym i bogatym.

I tak kończy się historia o Kocie w Butach.

John and the princess get married. They have a big wedding and all the people are invited. The kingdom is a happy place. Puss is very proud. He helped his master become happy and rich.

This is the end of the story of Puss in Boots.

gate
[geit]
brama

jug
[dʒʌg]
dzban

vase
[va:z]
wazon

roses
['rəuziz]
róże

apple tree
['apl tri:]
jabłoń

walking stick
['wokiŋ stik]
laska

sausages
['sosidʒiz]
kiełbaski

An old miller <u>had</u> three sons. He <u>gave</u> his first son the mill, his second son – a donkey and his third son, John – a cat. The cat <u>was</u> very clever. One day he <u>said</u> to John, "If you buy me a pair of boots and a hat, I will make you happy and rich."

The cat <u>got</u> the boots and then everybody <u>called</u> him Puss in Boots.

The next day Puss <u>went</u> for a <u>walk</u> in the fields. He <u>talked</u> to some farmers. They <u>told</u> him that they <u>were</u> very unhappy because there <u>was</u> a bad giant in the kingdom. Puss <u>had</u> an idea. "I can help you," <u>said</u> the cat, "but first you must help me. If the king comes here, please tell him that these fields belong to my master, the Marquis of Carabas."

The king and his daughter, the princess <u>rode</u> down the road in their carriage. Puss <u>had</u> an excellent idea. He <u>told</u> John to take off his clothes and jump into the river. When the king's carriage <u>was</u> near the river Puss <u>stopped</u> it and <u>said</u>, "Some robbers <u>took</u> my master's clothes. Please help us get back to our castle!" The king <u>gave</u> John some new clothes and they <u>rode on</u> together.

The cat <u>ran</u> to the giant's castle. The giant <u>was</u> a magician and he <u>could</u> turn into anything he <u>wanted</u>.
When he <u>saw</u> a talking cat dressed in elegant clothes he <u>was</u> surprised. Puss <u>asked</u> him,
"Can you turn into a mouse?"
"Of course, I can," <u>said</u> the giant.

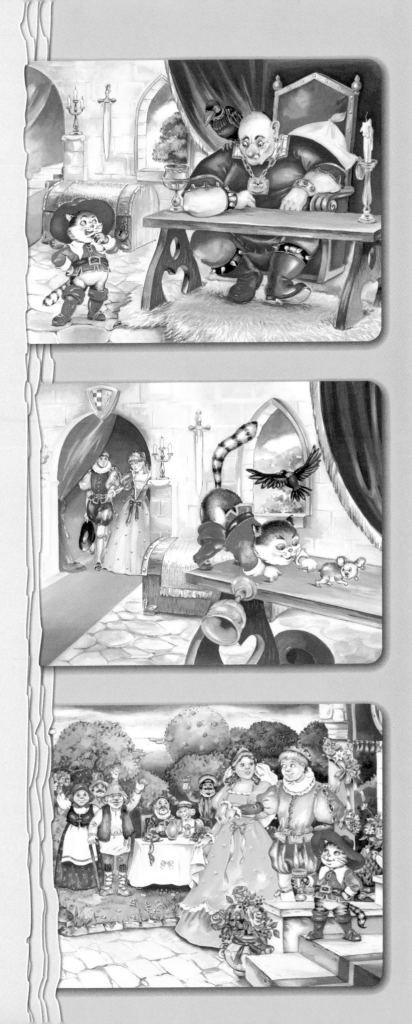

In a second there <u>was</u> a little mouse in front of Puss. He <u>ran</u> after it and <u>ate</u> it <u>up</u>. The bad giant <u>was</u> no longer in the castle. Now it <u>could</u> be John's new house.
Soon John and the princess <u>came</u> to the castle. The cat <u>welcomed</u> them.

John and the princess <u>got</u> <u>married</u>. They <u>had</u> a big wedding and all the people <u>were</u> <u>invited</u>. The kingdom <u>was</u> a happy place. Puss <u>was</u> very proud.
He <u>helped</u> his master become happy and rich.
This <u>was</u> the end of the story of Puss in Boots.

A

after ['a:ftə] – po
apple tree ['apl tri:] – jabłoń
asks/ask [a:sks/a:sk] – pyta/pytać

B

become [bi'kʌm] – stać się
belong to [bi'loŋ tu] –
           należą do/należeć do
boots [bu:ts] – buty
bracelet ['breislət] – bransoletka

C

candle [kandl] – świeca
candlestick ['kandlstik] – świecznik
carriage ['karidʒ] – powóz
castle [ka:sl] – zamek
cat [kat] – kot
clever ['klevə] – mądry
clothes [kləuðz] – ubranie
come [kʌm] – przybywają/przybywać
crown [kraun] – korona
curtain [kə:tn] – zasłona

D

dasies ['deiziz] – stokrotki
daughter ['do:tə] – córka
dressed [drest] – ubrany
duck [dʌk] – kaczka

E

eats up/eat up [i:ts ʌp/i:t ʌp] –
           zjada/zjeść

F

farmer ['fa:mə] – rolnik
fields/field [fi:ldz/fi:ld] – pola/pole
first [fə:st] – pierwszy
floor [flo:] – podłoga
frog [frog] – żaba

G

gate [geit] – brama
get married [get 'marid] –
           pobierają się/pobierać się
giant ['dʒaiənt] – olbrzym

H

hat [hat] – kapelusz
hedgehog ['hedʒhog] – jeż
here [hiə] – tutaj
house [haus] – dom

I

idea [ai'diə] – pomysł
in front of [in 'frʌnt əv] – przed

J

jug [dʒʌg] – dzban
jump into ['dʒʌmp 'intə] – wskoczyć

K

king [kiŋ] – król
kingdom ['kiŋdəm] – królestwo

L

little [litl] – mały

M

magician [mə'dʒiʃən] – czarodziej
master ['ma:stə] – pan

mill [mil] – młyn
miller ['milə] – młynarz
mouse [maus] – mysz

N

necklace ['nekləs] – naszyjnik

O

of course [əf' ko:s] – naturalnie

P

pair [peə] – para
people [pi:pl] – ludzie
please [pli:z] – proszę
poppy ['popi] – mak
princess [prin'ses] – królewna
proud [praud] – dumny

R

raven ['reivən] – kruk
ribbon ['ribən] – wstążka
ride [raid] – jadą/jechać
river ['rivə] – rzeka
road [rəud] – droga
robbers/robber ['robəz/'robə] –
           zbójcy/zbójca
roses ['rəuziz] – róże
runs/run ['rʌnz/'rʌn] – biegnie/biec

S

sausages ['sosidʒiz] – kiełbaski
second ['sekənd] – drugi
son [sʌn] – syn
squirrel ['skwirəl] – wiewiórka
story ['stori] – historia
surprised [sə'praizd] –
           zdziwiony/zdziwiona
sword [so:d] – miecz

T

table [teibl] – stół
tail [teil] – ogon
take off [teik of] – zdjąć
the end [ði 'end] – koniec
third [θə:d] – trzeci
tree [tri:] – drzewo
trunk [trʌŋk] – kufer
turn into ['tə:n 'intə] – zmienić się

V

vase [va:z] – wazon

W

walk [wo:k] – spacer
walking stick ['wokiŋ stik] – laska
wants/want [wonts/wont] – chce/chcieć
wedding ['wediŋ] – ślub
welcomes/welcome
           ['welkəmz/'welkəm] –
           wita/witać
window ['windəu] – okno

Kopciuszek

Cinderella

stepmother
['stepmʌðə]
macocha

palace
['palis]
pałac

ugly
['ʌgli]
brzydkie/brzydki

try on
[trai on]
mierzą/mierzyć

ball
[bo:l]
bal

tonight
[tə'nait]
dziś wieczorem

ready
['redi]
gotowe/gotowy

Kopciuszek mieszka z macochą i dwiema złymi i brzydkimi przyrodnimi siostrami. Cały dzień musi pracować, a jej siostry wciąż się tylko bawią i przymierzają nowe suknie i buty.

Dziś wieczorem w pałacu księcia ma się odbyć bal. Siostry Kopciuszka są już gotowe, aby wyruszyć na zabawę.

Cinderella lives with her stepmother and two bad and ugly stepsisters. She has to work all day and her sisters only play and try on new dresses and shoes.

There is a ball at the prince's palace tonight and Cinderella's stepsisters are ready to go to it.

fireplace
['faiəpleis]
kominek

broom
[bru:m]
miotła

frying pans
[fraiŋ panz]
patelnie

girl
[gə:l]
dziewczynka

cat
[kat]
kot

flower-pot
['flauəpot]
doniczka

shelf
[ʃelf]
półka

sad
[sad]
smutny

can't
[ka:nt]
nie może/
nie móc

midnight
['midnait]
północ

suddenly
['sʌdnli]
nagle

Don't worry
['d∂unt 'wʌri]
Nie martw się

uses/use
['ju:ziz/ju:z]
używa/używać

remember
[ri'memb∂]
pamiętaj/
pamiętać

Kopciuszkowi jest smutno. Nie może iść na bal. Nagle w jej domu pojawia się dobra wróżka.

– Nie martw się, Kopciuszku – mówi.

Po chwili wyczarowuje piękną suknię i powóz z parą koni, gotowy wyruszyć na bal.

– Pamiętaj jednak – mówi wróżka. – Musisz wrócić przed północą.

Cinderella is sad. She can't go to the ball. Suddenly a good fairy comes to her house. "Don't worry, Cinderella," she says. She uses her magic wand. In a moment Cinderella has a beautiful dress and a carriage with two horses ready to take her to the ball. "But remember," says the fairy. "You must come back before midnight."

vegetables
['vedʒtəbəlz]
warzywa

mouse
[maus]
myszka

tree
[tri:]
drzewo

fairy
['feəri]
wróżka

carriage
['karidʒ]
powóz

wand
[wond]
różdżka

wheel
[wi:l]
koło

young
[jʌŋ]
młody

ladies/lady
['leidiz/'leidi]
damy/dama

nobody
['nəubədi]
nikt

slipper
['slipə]
pantofelek

dances/dance
['dansiz/dans]
tańczy/tańczyć

strikes/strike
[straiks/straik]
wybija/wybijać

leaves/leave
[li:vz/li:v]
zostawia/
zostawiać

Kopciuszek jest w pałacu. Są tam piękne młode damy, ale ona wygląda najładniej ze wszystkich. Książę tańczy z nią cały czas. Nikt nie wie, jak nazywa się piękna nieznajoma.

Gdy zegar wybija dwunastą, Kopciuszek nie żegnając się wybiega z pałacu. W pośpiechu zostawia na schodach śliczny mały pantofelek.

Cinderella

Cinderella is at the palace. There are many pretty young ladies but she looks the prettiest of all. The prince dances with her all the time. Nobody knows the name of the beauty.

When the clock strikes twelve Cinderella runs away without saying goodbye. She leaves a beautiful little slipper on the stairs.

garland
['ga:lənd]
girlanda

floor
[flo:]
podłoga

jug
[dʒʌg]
dzban

column
['koləm]
kolumna

chandelier
[ʃandə'liər]
żyrandol
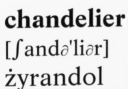

clock
[klok]
zegar

flowers
['flauəz]
kwiaty

unhappy
[ʌnˈhapi]
nieszczęśliwy

thinks/think
[θiŋks]/[θiŋk]
myśli/myśleć

sits/sit
[sits]/[sit]
siedzi/siedzieć

spell
[spel]
czary

poor
[puə]
biedna/biedny

dressed
[drest]
ubrana/ubrany

clothes
[kləuðz]
ubranie

Książę jest bardzo nieszczęśliwy. Siedzi na pałacowych schodach z pantofelkiem Kopciuszka w ręku. „Gdzież jest moja piękna nieznajoma?" – zastanawia się.

Tymczasem czary przestały działać. Kopciuszek jest znowu biedną dziewczyną ubraną w starą sukienkę. Nie ma już powozu, a musi wracać do domu.

The prince is very unhappy. He sits on the palace stairs with Cinderella's slipper in his hand. "Where is my beautiful girl?" he thinks.

Now the spell is gone and Cinderella is a poor girl again dressed in her old clothes. She has no carriage and must walk back home.

pumpkin
['pʌmpkin]
dynia

stairs
[steəz]
schody

owl
[aul]
sowa

people
[piːpl]
ludzie

ribbon
['ribən]
wstęga

pigeon
['pidʒin]
gołąb

prince
[prins]
książę

kingdom

['kiŋdəm]

królestwo

look for

['luk fo:]

szuka/szukać

puts on/put on

['puts on/'put on]

zakłada/zakładać

feet/foot

[fi:t/fut]

stopy/stopa

too big

[tu: big]

za duże/za duży

furious

['fjuəriəs]

wściekła/wściekły

wife

[waif]

żona

W całym królestwie książę i jego ludzie szukają pięknej damy z balu. Przychodzą do domu Kopciuszka. Obie brzydkie siostry są gotowe do mierzenia malutkiego pantofelka. Ich stopy są jednak zbyt duże. Macocha jest wściekła. Wtedy Kopciuszek wkłada pantofelek. Pasuje jak ulał.
– Teraz już wiem – mówi książę. – To ty jesteś moją piękną tancerką. Chcę, abyś została moją żoną.

The prince and his men go around the kingdom and look for the beautiful lady from the ball. They come to Cinderella's house. The ugly sisters are ready to try on the little slipper. Their feet are too big. Stepmother is furious. Then Cinderella puts on the slipper. It is just right. "Now I know," the prince says. "You are my beautiful dancer. I want you to be my wife."

nose
[nəuz]
nos

child
[tʃaild]
dziecko

hat
[hat]
kapelusz

dog
[dog]
pies

window
['windəu]
okno

basket
['ba:skit]
koszyk

shoe
[ʃu:]
but

wedding party
['wediŋ 'pa:ti]
wesele

lots of
['lots ∂v]
dużo

king
[kiŋ]
król

queen
[kwi:n]
królowa

guests/guest
[gests/gest]
goście/gość

things/thing
[θiŋz/θiŋ]
rzeczy/rzecz

ever after
['ev∂ 'a:ft∂]
na zawsze

W pałacu odbywa się huczne wesele. Kopciuszek i książę są szczęśliwi. Mają tylu gości! Jest tam król, królowa i dobra wróżka. Wszyscy tańczą i jedzą same pyszności!

A potem książę i Kopciuszek żyją długo i szczęśliwie.

Cinderella

There is a big wedding party at the palace. Cinderella and the prince are happy. They have so many guests! There is the king, the queen and the good fairy. They all dance and have lots of good things to eat.

Then the prince and Cinderella live long and happily ever after.

fruit
[fru:t]
owoce

roses
['rəuziz]
róże

crown
[kraun]
korona

bride and groom
[braid ənd gru:m]
młoda para

bird
[bə:d]
ptak

necklace
['nekləs]
naszyjnik

tower
['tauə]
wieża

Cinderella <u>lived</u> with her stepmother and two bad and ugly stepsisters. She <u>had to</u> work all day and her sisters only <u>played</u> and <u>tried on</u> new dresses and shoes.

One day there <u>was</u> a ball at the prince's palace. Cinderella's sisters <u>were</u> ready to go to it.

Cinderella <u>was</u> sad. She <u>could not</u> go to the palace. Suddenly a good fairy <u>came</u> to her house. "Don't worry, Cinderella," she <u>said</u>. She <u>used</u> her magic wand.

In a moment Cinderella <u>had</u> a beautiful dress and there <u>was</u> a carriage with two horses ready to take her to the ball.

"But remember," <u>said</u> the fairy. "You must come back before midnight."

Cinderella <u>was</u> at the palace. There <u>were</u> many pretty young ladies but she <u>looked</u> the prettiest of all. The prince <u>danced</u> with her all the time. Nobody <u>knew</u> the name of the beauty. When the clock <u>struck</u> twelve Cinderella <u>ran away</u> without saying goodbye. She <u>left</u> a beautiful little slipper on the stairs.

The prince <u>was</u> very unhappy. He <u>sat</u> on the palace stairs with Cinderella's slipper in his hand. "Where is my beautiful girl?" he <u>thought</u>.

Now the spell <u>was gone</u> and she <u>was</u> a poor girl again dressed in her old clothes. She <u>had</u> no carriage and <u>had to</u> walk back home.

The prince's men <u>went around</u> the kingdom and <u>looked for</u> the beautiful lady from the ball. They <u>came</u> to Cinderella's house. The ugly sisters <u>were</u> ready to try on the little slipper. Their feet <u>were</u> too big. Stepmother <u>was</u> furious. Then Cinderella <u>put on</u> the slipper. It <u>was</u> just right. "Now I know," the prince <u>said</u>. "You are my beautiful dancer and I want you to be my wife."

There <u>was</u> a big wedding party at the palace. Cinderella and the prince <u>were</u> happy. They <u>had</u> so many guests! There <u>was</u> the king, the queen and the good fairy. They all <u>danced</u> and <u>had</u> lots of good things to eat.

Then the prince and Cinderella <u>lived</u> long and happily ever after.

B
ball [bo:l] – bal
basket ['ba:skit] – koszyk
bird [bə:d] – ptak
bride and groom - [braid ənd gru:m] –
   młoda para
broom [bru:m] – miotła

C
can't [ka:nt] – nie może/nie móc
carriage ['karidʒ] – powóz
cat [kat] – kot
chandelier [ʃandə'liər] – żyrandol
child ['tʃaild] – dziecko
clock [klok] – zegar
clothes [kləuðz] – ubranie
column ['koləm] – kolumna
crown [kraun] – korona

D
dances/dance ['dansiz/dans] –
   tańczy/tańczyć
dog [dog] – pies
Don't worry ['dəunt 'wʌri] –
   Nie martw się
dressed [drest] – ubrana/ubrany

E
ever after ['evə 'a:ftə] – na zawsze

F
fairy ['feəri] – wróżka
feet/foot [fi:t/fut] – stopy/stopa
fireplace ['faiəpleis] – kominek
floor [flo:] – podłoga
flower-pot ['flauəpot] – doniczka
flowers ['flauəz] – kwiaty
fruit [fru:t] – owoce
frying pans [fraiŋ panz] – patelnie
furious ['fjuəriəs] – wściekła/wściekły

G
garland ['ga:lənd] – girlanda
girl [gə:l] – dziewczyna
guests/guest [gests/gest] – goście/gość

H
hat [hat] – kapelusz

J
jug [dʒʌg] – dzban

K
king [kiŋ] – król
kingdom ['kiŋdəm] – królestwo

L
ladies/lady ['leidiz/'leidi] – damy/dama
leaves/leave [li:vz/li:v]
   – zostawia/zostawiać
look for ['luk fo:] – szuka/szukać
lots of ['lots əv] – dużo

M
midnight ['midnait] – północ
mouse [maus] – myszka

N
necklace ['nekləs] – naszyjnik
nobody ['nəubədi] – nikt
nose [nəuz] - nos

O
owl [aul] – sowa

P
palace ['palis] – pałac
people [pi:pl] – ludzie
pigeon ['pidʒin] – gołąb
poor [puə] – biedna/biedny
prince [prins] – książę
pumpkin ['pʌmpkin] – dynia
puts on/put on ['puts on/'put on] –
   zakłada/zakładać

Q
queen [kwi:n] – królowa

R
ready ['redi] – gotowe/gotowy
remember [ri'membə] – pamiętaj/pamiętać
ribbon ['ribən] – wstęga
roses ['rəuziz] – róże

S
sad [sad] – smutny
shelf [ʃelf] – półka
shoe [ʃu:] – but
sits/sit [sits/sit] – siedzi/siedzieć
slipper ['slipə] – pantofelek
spell [spel] – czary
stairs [steəz] – schody
stepmother ['stepmʌðə] – macocha
strikes/strike [straiks/straik] –
   wybija/wybijać
suddenly ['sʌdnli] – nagle

T
things/thing [θiŋz/θiŋ] – rzeczy/rzecz
thinks/think [θiŋks/θiŋk] – myśli/myśleć
tonight [tə'nait] – dziś wieczorem
too big [tu: big] – za duże/za duży
tower ['tauə] – wieża
tree [tri:] – drzewo
try on [trai on] – mierzą/mierzyć

U
ugly ['ʌgli] – brzydkie/brzydki
unhappy [ʌn'hapi] – nieszczęśliwy
uses/use ['ju:ziz/ju:z] – używa/używać

V
vegetables ['vedʒtəbəlz] – warzywa

W
wand [wond] – różdżka
wedding party ['wediŋ 'pa:ti] – wesele
wheel [wi:l] – koło
wife [waif] – żona
window ['windəw] – okno

Y
young [jʌŋ] – młody

Brzydkie Kaczątko

The Ugly Duckling

animals/animal
['animəlz/'animəl]
zwierzęta/zwierzę

farmyard
['fa:mja:d]
podwórko

crack
[krak]
pękają/pękać

nest
[nest]
gniazdo

think
[θiηk]
myślą/myśleć

ugly
['ʌgli]
brzydki

farm
[fa:m]
wiejskie gospodarstwo

Oto wiejskie gospodarstwo. Jest w nim dużo zwierząt: świnka, kura, kogut i krowa. Kaczka ma gniazdo na podwórku. W gnieździe jest pięć jajek.

Pewnego dnia jajka zaczynają pękać i wychodzi z nich pięć małych kaczątek. Jedno z nich jest dużo większe od swoich braci i sióstr. Nie podoba się zwierzętom z gospodarstwa, które nazywają je Brzydkim Kaczątkiem.

This is a farm. There are lots of animals here. There is a pig, a hen, a rooster and a duck. The duck has a nest in the farmyard. There are five eggs in it. One day the eggs crack open and five little ducklings come out. One of them is much bigger than his brothers and sisters. The animals think he is ugly and they call him the Ugly Duckling.

sunflower
['sʌnflauə]
słonecznik

apples
[aplz]
jabłka

rooster
['ru:stə]
kogut

rope
[rəup]
sznur

lamp
[lamp]
lampa

pig
[pig]
świnia

shell
[ʃel]
skorupka

summer
['sʌmə]
lato

grow
[grəu]
rosną/rosnąć

sad
[sad]
smutne/smutny

leave
[li:v]
opuścić

lonely
['ləunli]
samotne/samotny

decides/decide
[di'saidz/di'said]
postanawia/
postanowić

go into the world
['gəu 'intə ðə 'wə:ld]
iść w świat

Jest lato. Z dnia na dzień kaczuszki są coraz większe. Brzydkie Kaczątko też rośnie. Nie jest podobne do swoich sióstr i braci, mimo to mama kocha je bardzo. Co dzień zwierzęta bawią się na podwórku, tylko z Brzydkim Kaczątkiem nie chcą się bawić. Dlatego jest smutne i czuje się samotne. Pewnego dnia postanawia opuścić gospodarstwo i wyruszyć w świat.

It is summer. Day after day the ducklings grow. The Ugly Duckling grows bigger and bigger too. He doesn't look like his brothers and sisters but his mother loves him very much. Every day the animals play in the farmyard. They don't want to play with the Ugly Duckling. He is very sad and lonely. One day he decides to leave the farm and go into the world.

cat
[kat]
kot

goat
[gəut]
koza

tablecloth
['teiblkloθ]
obrus

turkey
['tə:ki]
indyk

bowl
[bəul]
miska

dog
[dog]
pies

duckling
['dʌkliŋ]
kaczątko

lake
[leik]
jezioro

near
[ni∂]
blisko

swim
[swim]
pływać

geese/goose
[gi:s/gu:s]
gęsi/gęś

sky
[skai]
niebo

south
[sauθ]
południe

winter
['wint∂]
zima

Niedaleko gospodarstwa jest jezioro. Brzydkie Kaczątko chce w nim popływać. Żyją tam ryby, żabki, a także dzikie gęsi i dzika kaczka. Nagle Brzydkie Kaczątko spogląda w niebo. Widzi przelatujące trzy piękne białe ptaki, które lecą na południe, aby spędzić tam zimę. Och, jak bardzo chciałoby z nimi polecieć.

There is a lake near the farm. The Ugly Duckling wants to swim in it. Some fish and frogs live in the lake. There are some wild geese and a wild duck too. The Ugly Duckling looks up. He can see three beautiful white birds flying across the sky. They are going south for the winter. He wants to fly with them.

frog
[frog]
żaba

ladybird
['leidibə:d]
biedronka

dragonfly
['dragənflai]
ważka

bridge
[bridʒ]
most

wild duck
[waild dʌk]
dzika
kaczka

fish
[fiʃ]
ryba

house
[haus]
dom

autumn
['o:təm]
jesień

shorter/short
['ʃo:tə/ʃo:t]
krótsze/krótki

colder/cold
['kəuldə/kəuld]
zimniej/zimno

leaves/leaf
[li:vz/li:f]
liście/liść

give
[giv]
dać

Go away!
[gəu ə'wei]
Idź sobie!

looks for/look for
[luks fo:/luk fo:]
szuka/szukać

Jest jesień. Dni są coraz krótsze i robi się coraz zimniej. Na drzewach nie ma już liści. Brzydkie Kaczątko szuka pożywienia. Idzie do małego domku nad jeziorem. Przed domem stoi staruszka. Spogląda na kaczątko i mówi:

– Nie potrzebuję cię tutaj. Nie jesteś kurą i nie znosisz jajek! Idź sobie!

It is autumn. The days are shorter and it is colder and colder. There are no leaves on the trees. The Ugly Duckling looks for food. He goes to a little house near the lake. There is an old woman in front of the house. She looks at the Ugly Duckling and says, "I don't want you here. You are not a hen and you can't give me any eggs. Go away!"

well
[wel]
studnia

heart
[ha:t]
serce

hen
[hen]
kura

axe
[aks]
siekiera

puddle
[pʌdl]
kałuża

old woman
[əuld 'wumən]
staruszka

tree
[tri:]
drzewo

finds/find
[faindz/faind]
znajduje/znajdować

garden
['ga:dn]
ogród

living room
['liviŋ rum]
salon

safe
[seif]
bezpieczny

warm
[wo:m]
ciepło

everybody
['evribodi]
wszyscy

carpet
['ka:p∂t]
dywan

Nadchodzi zima. Jest bardzo zimno. Pewien gospodarz znajduje Brzydkie Kaczątko w ogrodzie za domem. Jest zmarznięte i głodne. Zabiera je więc do domu. Dzieci gospodarza bawią się z nim na dywanie w salonie. Kaczątku jest już ciepło i czuje się bezpiecznie. Wszyscy uważają, że jest śliczne.

Winter comes and it is very cold. One day a farmer finds the Ugly Duckling in his garden behind the house. He is cold and hungry. The man takes him home. The farmer's children play with the Ugly Duckling on the living room carpet. He feels warm and safe. Everybody here thinks he is really pretty.

ball
[bo:l]
piłka

teddy
['tedi]
miś

teapot
['ti:pot]
imbryk

box
[boks]
pudełko

picture
['piktʃə]
obrazek

mug
[mʌg]
kubek

yarn
[ja:n]
kłębek

spring

[spriŋ]

wiosna

sunny

['sʌni]

słoneczny

soon

[su:n]

wkrótce

beautiful

['biutiful]

piękne/piękny

take

[teik]

zabierają/zabierać

exactly

[igˈzaktli]

dokładnie

green

[gri:n]

zielone/zielony

Wkrótce nadchodzi wiosna. Na drzewach pojawiają się zielone liście i jest coraz cieplej. Pewnego słonecznego dnia dzieci zabierają Brzydkie Kaczątko nad jezioro. Pływają po nim dwa piękne białe łabędzie. Kaczątko spogląda na nie i widzi, że wygląda dokładnie tak jak one. Teraz już wie, że jest łabędziem, a nie brzydkim kaczątkiem!

Spring comes soon. There are green leaves on the trees and it is warmer and warmer. One sunny day the children take the Ugly Duckling to the lake. There are two beautiful white swans swimming in it. The Ugly Duckling looks at them. He can see they look exactly like him. Now he knows he is a swan too. He is no longer the ugly duckling.

swan
[swon]
łabędź

girl
[gə:l]
dziewczynka

boy
[boi]
chłopiec

butterfly
['bʌtəflai]
motyl

snail
[sneil]
ślimak

eggs
[egz]
jajka

kite
[kait]
latawiec

There <u>was</u> a farm. There <u>were</u> lots of animals there. There <u>was</u> a pig, a hen, a rooster and a duck. The duck <u>had</u> a nest in the farmyard. There <u>were</u> five eggs in it. One day the eggs <u>cracked</u> open and five little ducklings <u>came out</u>. One of them <u>was</u> much bigger than his brothers and sisters. The animals <u>thought</u> he <u>was</u> ugly and they <u>called</u> him the Ugly Duckling.

It <u>was</u> summer. Day after day the ducklings <u>grew</u>. The Ugly Duckling <u>grew</u> bigger and bigger too. He <u>didn't look</u> like his brothers and sisters but his mother <u>loved</u> him very much. Every day the animals <u>played</u> in the farmyard. They <u>didn't want</u> to play with the Ugly Duckling. He <u>was</u> very sad and lonely. One day he <u>decided</u> to leave the farm and go into the world.

There <u>was</u> a lake near the farm. The Ugly Duckling <u>wanted</u> to swim in it. Some fish and frogs lived in the lake. There <u>were</u> some wild geese and a wild duck too. The Ugly Duckling looked up. He <u>could</u> see three beautiful white birds flying across the sky. They <u>were</u> <u>going</u> south for the winter. He <u>wanted</u> to fly with them.

It <u>was</u> autumn. The days <u>were</u> shorter and it <u>was</u> colder and colder. There <u>were</u> no leaves on the trees. The Ugly Duckling <u>looked for</u> food. He <u>went</u> to a little house near the lake. There <u>was</u> an old woman in front of the house. She <u>looked at</u> the Ugly Duckling and <u>said</u>, "I don't want you here. You are not a hen and you can't give me any eggs. Go away!"

Winter <u>came</u> and it <u>was</u> very cold. One day a farmer <u>found</u> the Ugly Duckling in his garden behind the house. He <u>was</u> cold and hungry. The man <u>took</u> him home. The farmer's children <u>played</u> with the Ugly Duckling on the living room carpet. He <u>felt</u> warm and safe. Everybody <u>thought</u> he <u>was</u> really pretty.

Spring <u>came</u> soon. There <u>were</u> green leaves on the trees and it <u>was</u> warmer and warmer. One sunny day the children <u>took</u> the Ugly Duckling to the lake. There <u>were</u> two beautiful white swans swimming in it. The Ugly Duckling <u>looked</u> at them. He <u>could</u> see they <u>looked</u> exactly like him. Now he <u>knew</u> he <u>was</u> a swan too. He <u>was</u> no longer the ugly duckling.

A

animals/animal ['animəlz/'animəl] –
 zwierzęta/zwierzę
apples [aplz] – jabłka
autumn ['o:təm] – jesień
axe [aks] – siekiera

B

ball [bo:l] – piłka
beautiful ['biutiful] – piękne/piękny
bowl [bəul] – miska
box [boks] – pudełko
boy [boi] – chłopiec
bridge [bridʒ] – most
butterfly ['bʌtəflai] – motyl

C

carpet ['ka:pət] – dywan
cat [kat] – kot
colder/cold ['kəuldə/kəuld] –
 zimniej/zimno
crack [krak] – pękają/pękać

D

decides/decide [di'saidz/di'said] –
 postanawia/postanowić
dog [dog] – pies
dragonfly ['dragənflai] – ważka
duckling ['dʌkliŋ] – kaczątko

E

eggs [egz] – jajka
everybody ['evribodi] – wszyscy
exactly [ig'zaktli] – dokładnie

F

farm [fa:m] – wiejskie gospodarstwo
farmyard ['fa:mja:d] – podwórko
finds/find [faindz/faind] –
 znajduje/znajdować
fish [fiʃ] – ryba
frog [frog] – żaba

G

garden ['ga:dn] – ogród
geese/goose [gi:s/gu:s] – gęsi/gęś
girl [gə:l] – dziewczynka
give [giv] – dać
goat [gəut] – koza
Go away! [gəu ə'wei] – Idź sobie!
go into the world ['gəu 'intə ðə 'wə:ld] –
 iść w świat
green [gri:n] – zielone/zielony
grow [grəu] – rosną/rosnąć

H

heart [ha:t] – serce
hen [hen] – kura
house [haus] – dom

K

kite [kait] – latawiec

L

ladybird ['leidibə:d] – biedronka
lake [leik] – jezioro

lamp [lamp] – lampa
leave [li:v] – opuścić
leaves/leaf [li:vz/li:f] – liście/liść
living room ['liviŋ rum] – salon
lonely ['ləunli] – samotne/samotny
looks for/look for [luks fo:/luk fo:] –
 szuka/szukać

M

mug [mʌg] – kubek

N

near [niə] – blisko
nest [nest] – gniazdo

O

old woman [əuld 'wumən] – staruszka

P

picture ['piktʃə] – obrazek
pig [pig] – świnia
puddle [pʌdl] – kałuża

R

rooster ['ru:stə] – kogut
rope [rəup] – sznur

S

sad [sad] – smutne/smutny
safe [seif] – bezpieczny
shell [ʃel] – skorupka
shorter/short ['ʃo:tə/ʃo:t] –
 krótsze/krótki
sky [skai] – niebo
snail [sneil] – ślimak
soon [su:n] – wkrótce
south [sauθ] – południe
spring [spriŋ] – wiosna
summer ['sʌmə] – lato
sunflower ['sʌnflauə] – słonecznik
sunny ['sʌni] – słoneczny
swan [swon] – łabędź
swim [swim] – pływać

T

tablecloth ['teiblkloθ] – obrus
take [teik] – zabierają/zabierać
teapot ['ti:pot] – imbryk
teddy ['tedi] – miś
think [θiŋk] – myślą/myśleć
tree [tri:] – drzewo
turkey ['tə:ki] – indyk

U

ugly ['ʌgli] – brzydki

W

warm [wo:m] – ciepło
well [wel] – studnia
wild duck [waild dʌk] – dzika kaczka
winter ['wintə] – zima

Y

yarn [ja:n] – kłębek

Pinokio

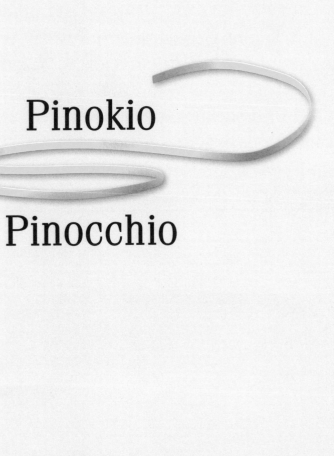

Pinocchio

carpenter
['ka:pəntə]
stolarz

children/child
['tʃildrən/tʃaild]
dzieci/dziecko

real
[riəl]
prawdziwy

lonely
['ləunli]
samotny

puppet
['pʌpət]
kukiełka

money
['mʌni]
pieniądze

books/book
[buks/buk]
książki/książka

Stary stolarz Gepetto nie ma dzieci. Dlatego czuje się bardzo samotny. Pewnego dnia struga z drewna chłopca – kukiełkę. Nazywa go Pinokio. Następnie ubiera go i robi mu buciki. W nocy do domu stolarza przychodzi wróżka i zamienia Pinokia w prawdziwego chłopca. Teraz Gepetto ma syna. Daje mu pieniądze na kupno książek i wysyła go do szkoły.

An old carpenter, Gepetto, has no children. He feels very lonely. One day he makes a puppet boy. He calls him Pinocchio. Gepetto makes some clothes and some shoes for Pinocchio. In the night a fairy comes to the old carpenter's house. She turns Pinocchio into a real boy. Now Gepetto has a son. He gives him the money to buy some books and sends him to school.

clock
[klok]
zegar

chair
[tʃeə]
krzesło

shelf
[ʃelf]
półka

onion
['ʌnjən]
cebula

lamp
[lamp]
lampa

spoon
[spu:n]
łyżka

jug
[dʒʌg]
dzbanek

way
[wei]
droga

meets/meet
[mi:ts/mi:t]
spotyka/spotykać

silly
['sili]
głupi

bury
['beri]
zakop/zakopać

tree
[tri:]
drzewo

wait
[weit]
czekaj/czekać

run away
['rʌn ∂'wei]
uciekają/uciekać

W drodze do szkoły Pinokio spotyka kota i lisa. – Nie bądź głupi – mówią. – Nie kupuj książek. Zakop pieniądze pod drzewem i poczekaj aż pojawi się na nim mnóstwo monet.

Pinokio słucha ich rady. Potem siada pod drzewem i zasypia. Jego nowi znajomi zabierają ukryte pod drzewem pieniądze i uciekają.

Pinocchio

On the way to school Pinocchio meets a cat and a fox. "Don't be silly," they say. "Don't buy the books. Bury your money under the tree and wait until it gives you a lot of coins."

Pinocchio does what they tell him. Then he sits under the tree and falls asleep. The cat and the fox take his money and run away.

woodpecker
['wudpekə]
dzięcioł

mushroom
['mʌʃrum]
grzyb

bird
[bə:d]
ptak

flowers
['flauəz]
kwiaty

fox
[foks]
lis

cat
[kat]
kot

hare
[heə]
zając

when
[wen]
kiedy

**wakes up/
wake up**
[weiks ʌp/weik ʌp]
budzi się/
budzić się

feels/feel
[fi:lz/fi:l]
czuje się/czuć się

did
[did]
zrobił

again
[∂'gein]
znowu

locks/lock
[loks/lok]
zamyka/zamykać

cage
[keidʒ]
klatka

Gdy Pinokio się budzi, pieniędzy już nie ma. Chłopiec wstydzi się tego, co zrobił. Wraca skruszony do domu. Następnego dnia wyrusza znowu do szkoły. Po drodze trafia do kukiełkowego teatrzyku. Dyrektor teatru chce, aby Pinokio został aktorem. Zamyka go w klatce. Na szczęście w nocy nadchodzi z pomocą wróżka i uwalnia chłopca.

When he wakes up, there is no money. The boy feels very sorry for what he did. He walks back home. The next day he goes to school again. On his way he sees a puppet theatre. The theatre director thinks Pinocchio can be a good actor.
He locks him in a cage. Luckily in the night a fairy comes and sets the boy free.

monkey
['mʌŋki]
małpa

bow-tie
[bəu' tai]
muszka

doll
[dol]
lalka

sun
[sʌn]
słońce

hat
[hat]
kapelusz

sack
[sak]
worek

moon
[muːn]
księżyc

next
[nekst]
następny

funfair
['fʌnfeə]
wesołe
miasteczko

a lot of
[ə 'lot əv]
dużo

ears/ear
[iəz/iə]
uszy/ucho

because
[bi'koz]
ponieważ

free
[fri:]
wolny

stays/stay
[steiz/stei]
zostaje/
zostawać

Następnego dnia Pinokio postanawia pójść do wesołego miasteczka. Jest tam wiele dzieci. Wszystkie mają ośle uszy, ponieważ wciąż się tylko bawią i nie chodzą do szkoły. Chłopcu podoba się ten sposób spędzania czasu. Zostaje więc w wesołym miasteczku na wiele godzin. Ale gdy zauważa, że również i jemu wyrastają ośle uszy, postanawia wrócić do domu.

The next day Pinocchio decides to go to the funfair. There are a lot of children there. They all have donkey's ears. That is because they play all day long and never go to school. The boy thinks it must be nice to be free all the time. He stays at the funfair for many hours. But when he gets donkey's ears too, he decides to go back home.

cake
[keik]
ciastko

kite
[kait]
latawiec

ball
[bo:l]
piłka

ice cream
[ais kri:m]
lody

lolly
['loli]
lizak

ladder
['lad∂]
drabina

flag
[flag]
flaga

returns/return
[ri'tə:nz/ri'tə:n]
wraca/wracać

locked
[lokt]
zamknięty

sets out/set out
[sets aut/set aut]
wyrusza/
wyruszać

tells/tell
[telz/tel]
mówi/mówić

suddenly
['sʌdnli]
nagle

decides/decide
[di'saidz/di'said]
postanawia/
postanawiać

find
[faind]
znaleźć

Gdy w końcu wraca do domu, drzwi są zamknięte, a ojca nie ma. Pinokio martwi się i nie wie, co robić. Nagle pojawia się wróżka. Mówi mu, że ojciec poszedł go szukać. Pinokio wstydzi się tego, co zrobił. Postanawia odnaleźć Gepetta i wyrusza w drogę.

When he finally returns home, the door is locked and his father is not there. Pinocchio is sad and he does not know what to do. Suddenly the fairy comes. She tells him that his father has gone to look for him. Pinocchio feels very sorry for what he did. He decides to find Gepetto and he sets out.

wand
[wond]
różdżka

roof
[ru:f]
dach

padlock
['padlok]
kłódka

flower-pot
['flau∂pot]
doniczka

shutter
['ʃʌt∂]
okiennica

scarf
[ska:f]
chustka

ring
[riŋ]
pierścień

sea
[si:]
morze

boat
[bə͡ut]
łódź

falls into/fall into
['folz 'intə/'fol 'intə]
wpada/wpadać

**swallows/
swallow**
['swolə͡uz/'swolə͡u]
połyka/połykać

inside
[in'said]
wewnątrz

before
[bi'fo:]
przedtem

happily
['hapili]
szczęśliwie

Napotkani ludzie mówią chłopcu, że Gepetto wypłynął w morze. Pinokio wsiada więc do łódki i rusza na poszukiwania. Nadciąga burza i Pinokio wpada do wody. Połyka go wieloryb, w którego brzuchu chłopiec spotyka ojca. Biedny Gepetto także został połknięty przez wieloryba. Na szczęście staremu stolarzowi i jego synowi udaje się uciec. Wracają do domu i odtąd żyją szczęśliwie.

Some people tell the boy that Gepetto is at sea. Pinocchio goes in a boat to look for his father. There is a storm and he falls into the water. A whale swallows him. Inside the whale Pinocchio meets his father. Poor Gepetto was swallowed by the whale before. Luckily the old carpenter and his son run away. They come back home and live happily.

whale
[weil]
wieloryb

octopus
['oktəpəs]
ośmiornica

fish
[fiʃ]
ryba

shell
[ʃel]
muszla

starfish
['sta:fiʃ]
rozgwiazda

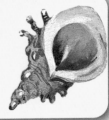

bubbles
[bʌblz]
bąbelki

seaweeds
['si:wi:dz]
wodorosty

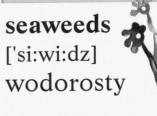

An old carpenter, Gepetto, <u>had</u> no children. He <u>felt</u> very lonely. One day he <u>made</u> a puppet boy. He <u>called</u> him Pinocchio. Gepetto <u>made</u> some clothes and some shoes for Pinocchio. In the night a fairy <u>came</u> to the old carpenter's house. She <u>turned</u> Pinocchio into a real boy. Now Gepetto <u>had</u> a son. He <u>gave</u> him the money to buy some books and <u>sent</u> him to school.

On the way to school Pinocchio <u>met</u> a cat and a fox. "Don't be silly," they <u>said</u>. "Don't buy the books. Bury your money under the tree and wait until it gives you a lot of coins." Pinocchio <u>did</u> what they <u>told</u> him. Then he <u>sat down</u> under the tree and <u>fell asleep</u>. The cat and the fox <u>took</u> his money and <u>ran away</u>.

When he <u>woke up</u>, there <u>was</u> no money. The boy <u>felt</u> very sorry for what he <u>had done</u>. He <u>walked back</u> home. The next day he <u>went</u> to school again. On his way he <u>saw</u> a puppet theatre. The theatre director <u>thought</u> Pinocchio <u>could</u> be a good actor. He <u>locked</u> him in a cage. Luckily in the night a fairy <u>came</u> and <u>set</u> the boy <u>free</u>.

The next day Pinocchio <u>decided</u> to go to the funfair. There <u>were</u> a lot of children there. They all <u>had</u> donkey's ears. That <u>was</u> because they <u>played</u> all day and never <u>went</u> to school. The boy <u>thought</u> it must be nice to be free all the time. He <u>stayed</u> at the funfair for many hours. But when he <u>got</u> donkey's ears too, he <u>decided</u> to go back home.

When he finally <u>returned</u> home, the door <u>was locked</u> and his father <u>was not</u> there. Pinocchio <u>was</u> sad and he <u>did not know</u> what to do. Suddenly the fairy <u>came</u>. She <u>told</u> him that his father <u>had gone</u> to look for him. Pinocchio <u>felt</u> very sorry for what he <u>had done</u>. He <u>decided</u> to find Gepetto and he <u>set out</u>.

Some people <u>told</u> Pinocchio that Gepetto was at sea. The boy <u>went</u> in a boat to look for his father. There <u>was</u> a storm and he <u>fell</u> into the water. A whale <u>swallowed</u> him. Inside the whale Pinocchio <u>met</u> his father. Poor Gepetto <u>had been swallowed</u> by the whale before. Luckily the old carpenter and his son <u>ran away</u>. They <u>came back</u> home and <u>lived</u> happily.

A
again [ə'gein] – znowu
B
ball [bo:l] – piłka
because [bi'koz] – ponieważ
before [bi'fo:] – przedtem
bird [bə:d] – ptak
boat [bəut] – łódź
bow-tie [bəu' tai] – muszka
bubbles [bʌblz] – bąbelki
books/book [buks/buk] –
    książki/książka
bury ['beri] – zakop/zakopać
C
cage [keidʒ] – klatka
cake [keik] – ciastko
carpenter ['ka:pəntə] – stolarz
cat [kat] – kot
chair [tʃeə] – krzesło
children/child ['tʃildrən/tʃaild] –
    dzieci/dziecko
clock [klok] – zegar
D
decides/decide [di'saidz/di'said] –
    postanawia/postanawiać
did [did] – zrobił
doll [dol] – lalka
E
ears/ear [iəz/iə] – uszy/ucho
F
falls into/fall into ['folz 'intə/'fol 'intə] –
    wpada/wpadać
feels/feel [fi:lz/fi:l] – czuje się/czuć się
find [faind] – znaleźć
fish [fiʃ] – ryba
flag [flag] – flaga
flower-pot ['flauəpot] – doniczka
flowers ['flauəz] – kwiaty
fox [foks] – lis
free [fri:] – wolny
funfair ['fʌnfeə] – wesołe miasteczko
H
happily ['hapili] – szczęśliwie
hare [heə] – zając
hat [hat] – kapelusz
I
ice cream [ais kri:m] – lody
inside [in'said] – wewnątrz
J
jug [dʒʌg] – dzbanek
K
kite [kait] – latawiec
L
ladder ['ladə] – drabina
lamp [lamp] – lampa
locked [lokt] – zamknięty
locks/lock [loks/lok] – zamyka/zamykać
lolly ['loli] – lizak

lonely ['ləunli] – samotny
a lot of [ə 'lot əv] – dużo
M
meets/meet [mi:ts/mi:t] –
    spotyka/spotykać
money ['mʌni] – pieniądze
monkey ['mʌŋki] – małpa
moon [mu:n] – księżyc
mushroom ['mʌʃrum] – grzyb
N
next [nekst] – następny
O
octopus ['oktəpəs] – ośmiornica
onion ['ʌnjən] – cebula
P
padlock ['padlok] – kłódka
puppet ['pʌpət] – kukiełka
R
real [riəl] – prawdziwy
returns/return [ri'tə:nz/ri'tə:n] –
    wraca/wracać
ring [riŋ] – pierścień
roof [ru:f] – dach
run away ['rʌn ə'wei] –
    uciekają/uciekać
S
sack [sak] – worek
scarf [ska:f] – chustka
sea [si:] – morze
seaweeds ['si:wi:dz] – wodorosty
sets out/set out [sets aut/set aut] –
    wyrusza/wyruszać
shelf [ʃelf] – półka
shell [ʃel] – muszla
shutter ['ʃʌtə] – okiennica
silly ['sili] – głupi
spoon [spu:n] – łyżka
starfish ['sta:fiʃ] – rozgwiazda
stays/stay [steiz/stei] –
    zostaje/zostawać
suddenly ['sʌdnli] – nagle
sun [sʌn] – słońce
swallows/swallow ['swoləuz/'swoləu] –
    połyka/połykać
T
tells/tell [telz/tel] – mówi/mówić
tree [tri:] – drzewo
W
wait [weit] – czekaj/czekać
wakes up/wake up [weiks ʌp/weik ʌp] –
    budzi się/budzić się
wand [wond] – różdżka
way [wei] – droga
whale [weil] – wieloryb
when [wen] – kiedy
woodpecker ['wudpekə] – dzięcioł

Indeks słówek

angielsko-polski
polsko-angielski

F
face – buzia, twarz
fairy – wróżka
fall asleep – zasypiać
fall into – wpadać
fall – upadać
family – rodzina
faraway – daleki
farm – wiejskie gospodarstwo
farmer – rolnik
farmyard – podwórko
father – ojciec
feather – piórko
feel – czuć się
feet/foot – stopy/stopa
fence – płot
field – pole
finally – w końcu
find – znajdować
finger – palec
fireplace – kominek
first – pierwszy
fish – ryba
flag – flaga
floor – podłoga
flower – kwiat
flower-pot – doniczka
follow – iść za
food – jedzenie
forever – na zawsze
fox – lis
free – wolny
friendly – przyjazny
frog – żaba
fruit – owoce
frying pans – patelnie
full – najedzony, pełny
funfair – wesołe miasteczko
furious – wściekły
G
garden – ogród
garland – girlanda
garlic – czosnek
gate – brama, furtka
gather – zbierać się
geese/goose – gęsi/gęś
get lost – gubić się
get married – pobierać się
get through – przedrzeć się
giant – olbrzym
gift – podarunek
girl – dziewczynka
give – dać
give a party – wydawać przyjęcie
goat – koza
Go away! – Idź sobie!
go into the world – iść w świat
good – dobry
granny – babcia
grass – trawa
green – zielony

ground – ziemia
grow – rosnąć
guest – gość
gun – strzelba
H
hand – ręka
handkerchief – chusteczka
handle – klamka
happily – szczęśliwie
hare – zając
hat – kapelusz
hear – słyszeć
heart – serce
hedgehog – jeż
hen – kura
here – tutaj
hide-and-seek – zabawa w chowanego
hollow tree – dziupla
horse – koń
house – dom
hungry – głodny
hunter – myśliwy
hush – cii...
hut – chatka
I
ice cream – lody
icing – lukier
idea – pomysł
ill – chory
important – ważny
in front of – przed
in one big gulp – jednym kęsem
in the meantime – tymczasem
ink-pot – kałamarz
inside – wewnątrz
invitation – zaproszenie
be born – rodzić się
J
jug – dzban, dzbanek
jump into – wskoczyć
K
keys – klucze
king – król
kingdom – królestwo
kiss – całować
kitchen – kuchnia
kite – latawiec
kitten – kotek
knight – rycerz
L
ladder – drabina
lady – dama
ladybird – biedronka
lake – jezioro
lamp – lampa
leaves/leaf – liście/liść
leave – opuszczać, zostawiać
leopard – gepard
Let her sleep – Pozwólmy jej spać
listen – słuchać
little – mały

shutter – okiennica
silly – głupi
Silly you! – Głuptasie!
sit – siedzieć
sky – niebo
slam – zatrzaskiwać
slipper – pantofelek
smile – uśmiechać się
snail – ślimak
snake – wąż
snoring – chrapanie
sock – skarpetka
son – syn
soon – wkrótce
south – południe
spell – czary, zaklęcie
spider – pająk
spindle – wrzeciono
spinner – prządka
spin – prząść
spoon – łyżka
spring – wiosna
squirrel – wiewiórka
stairs – schody
starfish – rozgwiazda
stay – zostawać
stepdaughter – pasierbica
stepmother – macocha
stick – patyczek
stone – kamień
stool – stołek
story – historia
strange – dziwny
stranger – obcy
strawberry – truskawka
strike – wybijać
suddenly – nagle
summer – lato
sun – słońce
sunflower – słonecznik
sunny – słoneczny
surprised – zdziwiony
swallow – połykać
swan – łabędź
sweep – zamiatać
swim – pływać
sword – miecz
T
table – stół
tablecloth – obrus
tail – ogon
take – brać
take off – zdjąć
tea towel – ścierka
teapot – imbryk
teddy – miś
teeth/tooth – zęby/ząb
tell – powiedzieć
thick – gęsty
thing – rzecz
think – myśleć

third – trzeci
time – czas
tiny – malutki
tired – zmęczony
together – razem
tonight – dziś wieczorem
towards – w kierunku
towel – ręcznik
tower – wieża
treasure – skarb
tree – drzewo
trunk – kufer
try on – mierzyć
turkey – indyk
turn into – zmienić się
U
ugly – brzydki
unfortunately – niestety
unhappy – nieszczęśliwy
use – używać
V
vase – wazon
vegetables – warzywa
W
wait – czekać
wake up – budzić się
walk – spacer
walking stick – laska
wand – różdżka
want – chcieć
warm – ciepło
way – droga
wealth – bogactwo
wedding – ślub
wedding party – wesele
welcome – witać
well – dobrze
well – studnia
whale – wieloryb
What's going on? – Co się dzieje?
wheel – koło
when – kiedy
wife – żona
wild duck – dzika kaczka
window – okno
winter – zima
wisdom – mądrość
witch – czarownica
wolf – wilk
woman – kobieta
woodcutter – drwal
woodpecker – dzięcioł
woods – las
wool – wełna
Y
yarn – kłębek
young – młody

kapciuszki – slippers	**łata** – patch
kapelusz – hat	**łatwy** – easy
każdy – everyone	**łopata** – shovel
kiedy – when	**łódź** – boat
kiełbaska – sausage	**łóżko** – bed
kilka – a few	**łyżka** – spoon
klamka – handle	**M**
klatka – cage	**macocha** – stepmother
klucze – keys	**mak** – poppy
kłębek – yarn	**malutki** – tiny
kłódka – padlock	**małpa** – monkey
kobieta – woman	**mały** – little
kogut – rooster	**matka** – mother
kokarda – bow	**mądrość** – wisdom
kolumna – column	**mądry** – clever
kołatka – door knocker	**miecz** – sword
koło – wheel	**miejsce** – place
kołyska – cradle	**mierzyć** – try on
komin – chimney	**mieszkać** – live
kominek – fireplace	**miotła** – broom
koń – horse	**miska** – bowl
kończyć się – end	**miś** – teddy
korona – crown	**młoda para** – bride and groom
koszyk – basket	**młody** – young
kot – cat	**młyn** – mill
kotek – kitten	**młynarz** – miller
koza – goat	**morze** – sea
kret – mole	**most** – bridge
król – king	**motyl** – butterfly
królestwo – kingdom	**mówić** – say
królewicz – prince	**muszka** – bow-tie
królewna – princess	**muszla** – shell
królowa – queen	**mysz** – mouse
krótki – short	**myśleć** – think
kruk – raven	**myśliwy** – hunter
krzak – bush	**N**
krzesło – chair	**na zawsze** – ever after, forever
książę – prince	**nagle** – suddenly
książka – book	**najedzony** – full
księżyc – moon	**należeć do** – belong to
kubek – mug	**następny** – next
kuchnia – kitchen	**na szczęście** – luckily
kufer – trunk	**naszyjnik** – necklace
kukiełka – puppet	**naturalnie** – of course
kura – hen	**na zawsze** – forever
kwiat – flower	**niebo** – sky
L	**Nie martw się** – Don't worry
lalka – doll	**Nie spiesz się** – Don't hurry
lampa – lamp	**niestety** – unfortunately
las – woods	**nieszczęśliwy** – unhappy
laska – walking stick	**nikt** – nobody
latawiec – kite	**niszczyć** – destroy
lato – summer	**nos** – nose
lis – fox	**O**
liście/liść – leaves/leaf	**obcy** – stranger
lizak – lolly	**obiecywać** – promise
lody – ice cream	**obrazek** – picture
ludzie – people	**obrus** – tablecloth
lukier – icing	**odchodzić** – go away
lustro – mirror	**ogon** – tail
Ł	**ogród** – garden
łabędź – swan	**ojciec** – father

okiennica – shutter
okno – window
olbrzym – giant
opuścić – leave
ośmiornica – octopus
owoce – fruit
P
pająk – spider
palec – finger
pałac – palace
pamiętać – remember
pan – master
pantofelek – slipper
papuga – parrot
pasierbica – stepdaughter
patelnie – frying pans
patyczek – stick
pełny – full
pękać – crack
piec – oven
pieniądze – money
pierścień – ring
pierwszy – first
pies – dog
piękny – beautiful
piękniejsza – prettier
piłka – ball
piórko – feather
płakać – cry
płot – fence
pływać – swim
po – after
pobierać się – get married
poczekać – wait
podarunek – gift
podłoga – floor
po drodze – on the way
po drugiej stronie – on the other side
poduszka – pillow
podwórko – farmyard
pokazywać – show
pole – field
południe – south
połykać – swallow
pomysł – idea
ponieważ – because
poranek – morning
postanawiać – decide
powiedzieć - tell
powóz – carriage
półka – shelf
północ – midnight
prawdziwy – real
prosić – ask
proszę – please
prządka – spinner
przebierać się – dress up
przed – in front of
przedrzeć się – get through
przedtem – before
przerażony – scared
przez przypadek – accidentally

prząść – spin
przybywać – come
przyjazny – friendly
ptak – bird
pudełko – box
pytać – ask
R
rada – advice
ramię – shoulder
razem – together
ręcznik – towel
ręka – hand
rodzić się – be born
rodzice – parents
rodzina – family
rolnik – farmer
roślina doniczkowa – pot plant
rosnąć – grow
rozglądać się – look around
rozgwiazda – starfish
róg – corner
różdżka – wand
róże – roses
ryba – fish
rycerz – knight
rzecz – thing
rzeka – river
S
salon – living room
samotny – lonely
sarna – deer
schody – stairs
serce – heart
siedzieć – sit
siekiera – axe
skarb – treasure
skarpetka – sock
skorupka – shell
słońce – sun
słonecznik – sunflower
słoneczny – sunny
słuchać – listen
słyszeć – hear
smutny – sad
sowa – owl
spacer – walk
spotykać – meet
sprytny – clever
sprzątać – clean
stać się – become
staruszka – old woman
stokrotki – dasies
stolarz – carpenter
stołek – stool
stopy/stopa – feet/foot
stół – table
strach na wróble – scarecrow
strzelba – gun
studnia – well
sukienka – dress
syn – son
sypialnia – bedroom

szczeniak – puppy
szczęśliwie – happily
sznur – cord, rope
sztylet – dagger
szukać – look for
Ś
ścierka – tea towel
ścieżka – path
ślimak – snail
ślub – wedding
świeca – candle
świecznik – candlestick
świnia – pig
T
talerz – plate
tańczyć – dance
trawa – grass
truskawka – strawberry
trzeci – third
tutaj – here
twarz – face
tymczasem – in the meantime
U
ubrany – dressed
ubranie – clothes
uciekać – run away
ukłuć się – prick
umrzeć – die
upaść – fall
uroda – beauty
ucho – ear
uśmiechać się – smile
uśpiony – asleep
używać – use
W
warzywa – vegetables
wazon – vase
ważka – dragonfly
ważny – important
wąż – snake
wełna – wool
wesele – wedding party
wesołe miasteczko – funfair
wewnątrz – inside
wziąć – take
widzieć – see
wiejskie gospodarstwo – farm
wieloryb – whale
wiewiórka – squirrel
wieża – tower
wilk – wolf
wiosna – spring
witać – welcome
w kierunku – towards
w końcu – finally
wkrótce – soon
wodorosty – seaweeds
wolny – free
worek – sack
wpadać – fall into
wracać – return
wróżka – fairy

wrzeciono – spindle
wskoczyć – jump into
wspinać się – climb
wstążka – ribbon
wszyscy – all, everybody, everyone
wstęga – ribbon
wściekły – furious
wybijać – strike
wydawać przyjęcie – give a party
wyglądać jak – look like
wyruszać – set out
wyskakiwać – jump out
Z
zabawa w chowanego – hide-and-seek
zabierać – take
za chudy – too thin
zaczynać – begin
zając – hare
zajączek – bunny
zaklęcie – spell
zakładać – put on
zakop/zakopać – bury
zamek – castle
zamiatać – sweep
zamknięty – locked
zamykać – lock
zaproszenie – invitation
zasłona – curtain
zasypiać – fall asleep
zatrute – poisoned
zatrzaskiwać – slam
za wysoko – too high
zbierać się – gather
zbierać – pick
zbójca – robber
zdjąć – take off
zdziwiony – surprised
zegar – clock
zęby/ząb – teeth/tooth
zielony – green
ziemia – ground
zima – winter
zimno – cold
zjeść – eat up
zły – angry
zmęczony – tired
zmienić się – turn into
znajdować – find
znowu – again
zostawać – stay
zostawiać – leave
zwierzę – animal
Ż
żaba – frog
żona – wife
żyrandol – chandelier